ANIMALES

VIDA MULTICELULAR

Robert Snedden

CORREO DEL MAESTRO • EDICIONES LA VASIJA

Esta edición en lengua española fue creada a partir del original de Harcourt Global Library, de Harcourt Education Ltd., por Uribe y Ferrari Editores, S.A. de C.V.
Av. Reforma No.7-403 Ciudad Brisa, Naucalpan, Estado de México
C.P. 53280, México
Tels. 53 64 56 70 • 53 64 56 95
correo@correodelmaestro.com

ISBN 970-756-063-0 (Colección *Células y vida*)
ISBN 970-756-076-2 (*Animales: Vida multicelular*)

© 2005 Uribe y Ferrari Editores, S.A. de C.V.

Traducción al español: Roberto Escalona en colaboración con Correo del Maestro y Ediciones La Vasija.
Cuidado de la edición: Correo del Maestro y Ediciones La Vasija.

Animals: Multicelled Life, Robert Snedden
© 2004 Harcourt Education Ltd.

Reconocimientos
La editorial agradece a las entidades siguientes su permiso para reproducir fotografías: Corbis Sygma p. 24; Corbis: / M y P Fogden p 27 / M A McDonald p. 29 / K Weatherly p. 15 / S Westmorland p. 16; KPT p. 31; Nature Picture File/ BBC p. 7; Oxford Scientific Films: S Dalton p. 11 / A Root p. 43; Science Photo Library: Biology Media pp. 9 y 38 / Biophoto Associates p. 34 / CNRI p. 14 / B Evansp. 28 / Eye of Science p. 33 / J Hinsch p. 32 / M Kage p. 17 / M Kulyk p. 20 / R Lehnen p. 5 / A y Hanns-Friederich Michler p. 21 / P M Motta, Universidad "La Sapienza", Roma p. 35 / P M Motta, Correr y Nottola, Universidad "La Sapienza", Roma pp. 4 y 8 / Y Nikas p. 42 / Omikron p. 22 / D Phillips pp. 37 y 41 / Quest pp. 13 y 36 / Science Pictures Ltd. p. 40 / Secchi-Lecaque, Rousel-UCLAF, CNRI p. 25 / V Steger p. 23.

Foto de portada reproducida con la autorización de Science Photo Library/Quest.

Agradecemos a Richard Fosbery sus comentarios durante la preparación de este libro, así como a Alexandra Clayton.

Se ha hecho todo lo posible por ponerse en contacto con los titulares de los derechos de autor de todo el material reproducido en este libro. Cualquier omisión se rectificará en tirajes subsecuentes si se avisa a la editorial.

Descargo de responsabilidad
Todas las direcciones de Internet (URLs) dadas en este libro eran válidas en el momento de imprimirse. No obstante, debido a la naturaleza dinámica de Internet, algunas direcciones podrían haber cambiado, o algunos sitios podrían haber dejado de existir, desde la publicación. Si bien el autor y la editorial lamentan cualquier molestia que ello pueda causar a los lectores, no asumen ninguna responsabilidad por tales cambios.

Este libro se terminó de imprimir y encuadernar en Pressur Corporation, S.A.
C. Suiza, R.O.U., en el mes de marzo de 2005. Se imprimieron 3000 ejemplares.

Contenido

*Las palabras en negritas, **como éstas**, están en el Glosario.*

1. Las unidades de la vida

Las células son algo maravilloso. Son diminutos paquetes de sustancias, tan pequeños que no pueden verse sin ayuda de un microscopio. Cada célula tiene todas las propiedades de la vida. Algunos seres vivos, como las **bacterias**, son células individuales, pero las plantas y los animales que nos rodean, y nosotros mismos, estamos compuestos por incontables millones de células agrupadas.

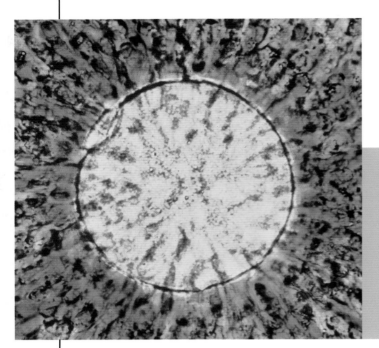

En este libro nos concentraremos en los diferentes tipos de células que constituyen los animales y cómo colaboran unos con otros. Sin embargo, primero necesitamos saber un poco más acerca de las células.

Las plantas y los animales están formados por millones y millones de células, pero hasta los organismos más grandes se inician en una sola: la célula huevo. En la foto, una célula huevo humana (amarillo). Las células que la rodean (azul), la sostienen y nutren mientras crece. Ésta es una foto a color falso.
(Magnificación aprox. x 560)

Tipos de células

Hay tres tipos de células. Las más simples son las **procariotas,** las células de las bacterias, cuya estructura es sencilla. En el exterior hay una **membrana** delgada, generalmente rodeada por una pared celular gruesa y rígida. Dentro de la membrana hay una mezcla gelatinosa de sustancias en la que se efectúan todos los procesos que permiten a la bacteria crecer y reproducirse.
El material genético (que contiene toda la información necesaria para hacer una nueva bacteria) está en esta mezcla, llamada **citoplasma**. Un segundo tipo de célula es el de las arqueobacterias o bacterias extremófilas, llamadas células **archaea**. En algunas clasificaciones todavía están dentro de las células procariotas, pero la mayor parte de los biólogos las consideran un grupo diferente pues poseen características bioquímicas y genéticas que las alejan de éstas.

El tercer tipo básico de célula abarca a todas las restantes, entre ellas las que constituyen plantas y animales y son más grandes que las de las bacterias. Incluso antes de que se inventara el microscopio electrónico en la década de 1960, los biólogos habían descubierto que, a diferencia de las procariotas, estas células mayores tenían muchas estructuras distintas en su interior. Estas células más complejas se llaman **eucariotas** y están divididas en compartimentos llamados **organelos**, cada uno rodeado por su propia membrana. Uno de estos compartimentos es el **núcleo**, que contiene el material genético de la célula. La palabra eucariota significa "verdadero núcleo", mientras que procariota significa "antes del núcleo".

Agrupación de células

En los organismos más simples, una sola célula efectúa todas las funciones de la vida, como alimentarse, desplazarse, dividirse y eliminar desechos. Los seres vivos más complejos tienen muchos millones de células, y no todas son iguales. Se desarrollan diferentes tipos de células que se especializan en una tarea dada. Las células nerviosas de un animal, por ejemplo, están especializadas en la transmisión de impulsos eléctricos de una célula a otra. Algunas células suministran alimento, otras transportan alimento y desechos; algunas transmiten información o instrucciones, otras proporcionan sostén y otras más se encargan de la reproducción (producir **descendencia**).

En los animales y las plantas, muchos tipos de células trabajan en estrecha colaboración. Ser multicelular implica que las células deben cooperar en todo y que tal cooperación debe ser perfecta, siempre. En las plantas y los animales que nos rodean vemos los resultados de esta increíble interacción de millones y millones de células.

Esponjas (rosadas) entre anémonas de mar (anaranjadas). Las esponjas están entre los animales multicelulares más simples. Carecen de células especializadas, como las nerviosas y musculares, que encontramos en animales más complejos.

5

Células animales

Las células animales y vegetales típicas tienen muchas similitudes, pero hay algunas diferencias importantes. En esta sección examinaremos las células animales y lo que las distingue de las vegetales.

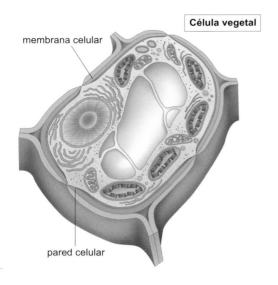

Célula vegetal

membrana celular

pared celular

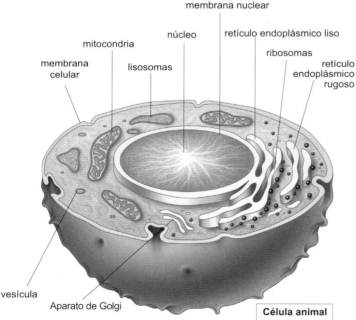

membrana nuclear

núcleo

retículo endoplásmico liso

mitocondria

ribosomas

membrana celular

lisosomas

retículo endoplásmico rugoso

vesícula

Aparato de Golgi

Célula animal

A diferencia de las vegetales, las células animales no tienen pared celular. Esta ilustración muestra otras características típicas de las células animales.

Ambos tipos de células están rodeados por una delgada **membrana** celular. Ésta es la frontera de la célula, que la separa del entorno externo. La membrana mantiene la integridad de la célula y controla lo que entra y sale. Deja entrar algunas cosas pero no otras, y por ello decimos que es una membrana parcialmente permeable.

Las células animales son más pequeñas que las vegetales (la mitad del tamaño, en promedio). Esto las hace más difíciles de ver al microscopio, pero la principal razón por la que las células vegetales son más fáciles de ver es que están rodeadas por una gruesa pared celular rígida. Una característica destacada de las células animales es que carecen de esa pared y por tanto son mucho más flexibles que las vegetales. Casi todos los animales son móviles –o sea, se desplazan– así que la flexibilidad es muy importante.

El centro de control de la célula

Las células animales y vegetales tienen un gran **núcleo** que es el centro de control: guía las actividades proporcionando las instrucciones para construir **proteínas**. Las proteínas se encargan del funcionamiento cotidiano de las células. Proteínas especiales llamadas **enzimas** controlan la actividad química regulando la velocidad con que se efectúan las muchas reacciones químicas dentro de la célula. Sin enzimas, las reacciones prácticamente se detendrían y el organismo moriría.

Entre el núcleo y la membrana celular está el **citoplasma**. En él se efectúan las incesantes actividades químicas de la célula, como la obtención de energía del alimento, la reparación de daños y la fabricación de nuevos componentes. Cientos de reacciones químicas tienen lugar constantemente, guiadas por enzimas producidas siguiendo instrucciones del núcleo. Juntas, estas reacciones son lo que se conoce como **metabolismo** de la célula.

Objetivos de las células animales

Los miles de millones de células cooperan para obtener el máximo beneficio para todas. Sea cual sea el animal –un ser humano, un canguro, un albatros o una estrella de mar– las células se organizan para llevar a cabo cuatro tareas vitales:

1 Mantener las condiciones dentro del cuerpo del animal en los niveles óptimos para que las células operen con eficiencia.
2 Obtener **nutrientes** del alimento y llevarlos a todas las células del cuerpo, y eliminar los desechos celulares.
3 Defender al animal contra microorganismos patógenos.
4 Reproducirse y procurar un buen inicio a la siguiente generación.

En secciones posteriores veremos cómo las células animales realizan estas cuatro tareas.

Una guepardo hembra y sus cachorros comparten el animal que cazaron. Para obtener alimento, el guepardo primero usa sus sentidos para encontrar una presa, luego el cerebro y los músculos para escogerla y atraparla. Por último, su aparato digestivo se encarga de descomponer el alimento y extraer nutrientes, que luego se distribuyen a todas las células del cuerpo.

Trabajo en conjunto

Un organismo unicelular debe realizar todas las funciones necesarias para sobrevivir. En un animal multicelular, las tareas como obtener alimentos, eliminar desechos y transportar **nutrientes** por todo el cuerpo se reparten entre grupos de células que se han especializado para efectuar esas tareas específicas.

Tejidos

Los grupos de células similares que colaboran para llevar a cabo una función dada en un organismo se llaman **tejidos**. Por ejemplo, el tejido muscular está formado por células capaces de contraerse y relajarse para que el animal se mueva. Los tejidos animales se clasifican en cuatro tipos principales:

• epitelial   • conectivo   • muscular   • nervioso

Tejido epitelial

El tejido epitelial se conoce comúnmente como **epitelio**. Forma una capa externa (como la piel y el pelo humanos, o las escamas de una serpiente), o bien un recubrimiento interno (dentro de un vaso sanguíneo, por ejemplo). Las células epiteliales se acomodan apretadamente para formar una capa ininterrumpida.

El epitelio estratificado tiene dos capas adicionales de células y ofrece protección. La capa exterior de tu piel es un ejemplo de epitelio estratificado.

El epitelio simple o escamoso es una sola capa de células que actúa como forro. Cubre muchas superficies del cuerpo, como el interior de los vasos sanguíneos y las paredes de las diminutas bolsas de aire (**alveolos**) de los pulmones. Sus células son delgadas, lisas y planas, y se acomodan apretadamente para formar una superficie lisa sobre la cual los fluidos se desplazan con facilidad.

Foto a color falso tomada con un microscopio electrónico de barrido que muestra el forro epitelial ciliado que recubre los bronquiolos (tubos) de los pulmones. Los cilios se ven verdes.
(Magnificación aprox. x 3600)

El epitelio ciliado se compone de células cubiertas con **cilios**: diminutas proyecciones de la superficie parecidas a pelos. Los cilios se mueven con ritmo regular, como si fueran remos. Algunos organismos unicelulares usan cilios para desplazarse. En el epitelio ciliado, las células no avanzan, y el movimiento de los cilios sirve para mover fluidos sobre la superficie del tejido. Por ejemplo, los **bronquiolos** (tubos) de los pulmones están forrados con cilios, y este forro está cubierto por una capa de **moco** que atrapa la suciedad y otras partículas. El movimiento de los cilios desplaza el moco sucio, sacándolo de los pulmones.

Tejido conectivo

Hay más clases de tejidos conectivos que de cualquier otro tipo de tejido básico. Algunos son suaves: rodean y vinculan otros tejidos y órganos. Otros son duros y se encargan de sostener y proteger el cuerpo (como los huesos y cartílagos). La sangre, que consta de una mezcla de células y un fluido llamado **plasma**, también se clasifica como tejido conectivo.

Músculos

Los músculos están formados por células capaces de contraerse. Las células musculares son alargadas y pueden acortarse a la mitad o a un tercio de su longitud. La función de este tejido es el movimiento. Sus contracciones hacen posible el latir del corazón, que desplaza la sangre por todo el cuerpo. Otros músculos empujan el alimento a lo largo de los tubos del aparato digestivo. Además, las contracciones de músculos conectados al esqueleto son la base de su locomoción.

Tejido nervioso

El tejido nervioso se compone de células altamente especializadas que transmiten señales eléctricas, llamadas impulsos nerviosos, por todo el cuerpo. Estos impulsos se desplazan con gran rapidez y llevan al cerebro información acerca del mundo exterior proveniente de los ojos u otros sentidos, y también llevan órdenes del cerebro a los músculos.

Los **tendones** son tejidos que conectan músculos con huesos: son un tipo de tejido conectivo. Se componen casi totalmente de una proteína fibrosa llamada colágeno. Aquí vemos haces de fibras de colágeno. (Magnificación aprox. x 70)

Órganos y sistemas de órganos

Los cuatro tipos de tejido de los animales complejos no están dispersos al azar en el cuerpo. Grupos de tejidos se organizan para formar los órganos, que en los animales más complejos constituyen parte de sistemas de órganos.

Órganos

El corazón, los pulmones, el cerebro y el estómago son ejemplos de órganos. Cada uno se especializa en una tarea, o una gama de tareas, que ningún otro órgano puede efectuar. Por ejemplo, los pulmones se especializan en absorber oxígeno del aire y deshacerse del bióxido de carbono. Si los pulmones se dañan y no pueden trabajar, el corazón no puede encargarse de su trabajo, ni el estómago, ni el cerebro.

Cada órgano incluye, generalmente, varios tipos de tejido. El corazón tiene tejido muscular, tejido nervioso y tejido conectivo, mientras que el estómago se forma a partir de tejido **epitelial**, tejido glandular y tejido muscular.

Sistemas

Un sistema incluye dos o más órganos que colaboran para efectuar una tarea que beneficia a todo el organismo. Entre los principales están el aparato circulatorio (en el ser humano comprende el corazón y los vasos sanguíneos), que es el principal sistema de transporte del cuerpo; el aparato digestivo, que descompone el alimento en **nutrientes** útiles para el animal; y el aparato reproductor, que se encarga de producir **descendencia**.

La supervivencia de un animal depende de la cooperación de todos sus sistemas de órganos. Ninguno es más importante que los demás. Piensa en un coche; si el sistema eléctrico falla, el coche no irá a ningún lado, aunque tenga cuatro llantas nuevas y el tanque esté lleno.

tejido conectivo

músculo longitudinal

músculo circular

músculo diagonal

tejido conectivo, vasos sanguíneos y nervios

capa delgada de músculos

mucosa (epitelio con glándulas digestivas)

El estómago está formado por diferentes tejidos, como el epitelial y el glandular, además de varias capas de tejido muscular.

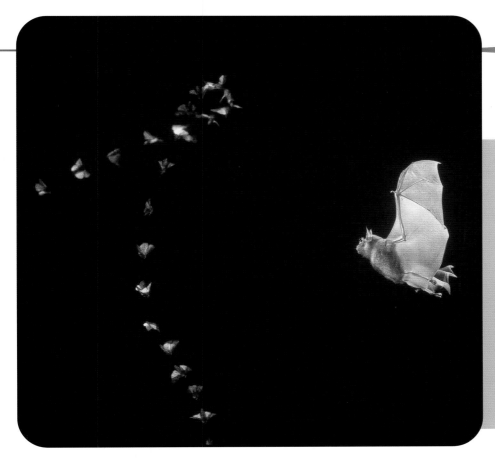

Murciélago a la caza de insectos. Muchos de sus sistemas de órganos colaboran en esta tarea. El sistema nervioso dirige los músculos para volar, y éstos consiguen la energía necesaria para moverse usando nutrientes del aparato digestivo y oxígeno suministrado por el aparato circulatorio.

Con los animales pasa lo mismo. Los vasos sanguíneos del aparato circulatorio transportan nutrientes y oxígeno a las células del cuerpo y se llevan sus desechos. Sin embargo, esos nutrientes provienen del aparato digestivo (que descompone los alimentos), y el oxígeno llega a la sangre a través de los pulmones (que forman parte del aparato respiratorio, o intercambiador de gases). Estos tres sistemas usan el sistema nervioso para transmitir mensajes de un área a otra, y para obtener información de los sentidos e instrucciones del cerebro. Si tu sistema nervioso fallara, no podrías coordinar tus movimientos para hallar alimento, y no podrías ver ni sentir el alimento aunque lo hallaras.

El organismo organizado

Un organismo multicelular es el total de todas sus células, tejidos, órganos y sistemas de órganos, todos estrechamente vinculados. Ningún sistema por sí solo puede sostener la vida, y ningún sistema es capaz de seguir funcionando si falla un órgano importante. Imagina el aparato circulatorio sin el corazón, o el sistema nervioso sin el cerebro. Ningún órgano puede seguir trabajando si todos sus tejidos se dañan.

Los cientos de billones de células que constituyen tu cuerpo colaboran para asegurar su supervivencia... ¡y la tuya!

2. Por fuera

El cuerpo humano y el de muchos otros animales está cubierto por una capa protectora: la piel. Sin embargo, cada animal tiene su propio tipo de piel. La piel de los mamíferos está cubierta de pelos, y los animales de climas fríos suelen tener un pelaje largo y espeso que los mantiene calientes, mientras que los de climas cálidos poseen pelos más cortos y escasos. El pelaje puede tener color y patrones que sirven como camuflaje. En vez de pelo, las aves tienen pulmas, mientras que los peces y reptiles poseen una capa de escamas delgadas que se superponen. La piel de las ranas, los sapos y otros anfibios carece de una cubierta.

La piel del ser humano es prácticamente impermeable. Esto evita la fuga de sangre y otros fluidos del cuerpo. Además, la piel actúa como barrera para impedir que **bacterias** patógenas y otros objetos o sustancias dañinas penetren en el cuerpo.

Estructura de la piel

La piel es, en realidad, un órgano; de hecho, es el más grande del cuerpo. Además de las capas de células epiteliales, incluye pelo, uñas y glándulas. La piel posee tres capas: la epidermis, la dermis y el tejido subcutáneo.

La epidermis es la capa externa. En casi todo el cuerpo, su espesor es el de una hoja de papel. Se compone de varias capas de células. La que está en contacto con el exterior consiste en células muertas o moribundas llenas de una **proteína** impermeable llamada queratina, que confiere resistencia al tejido. La capa más profunda por lo general está formada por una sola hilera de células altas y angostas que se dividen continuamente para reponer las células que de manera constante se pierden de la superficie externa. Esta capa interior también contiene células, los melanocitos, que producen un pigmento negro parduzco, la melanina, al que la piel debe su color.

Este corte transversal de la piel humana muestra la epidermis, la dermis y la porción exterior del tejido subcutáneo.

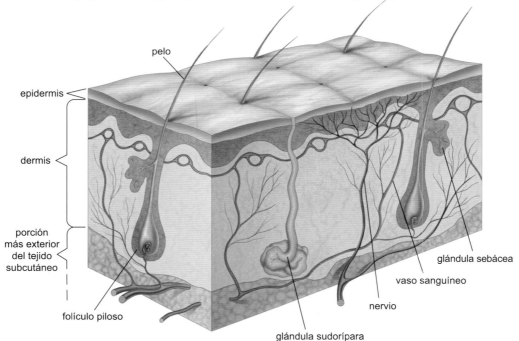

pelo

epidermis

dermis

porción más exterior del tejido subcutáneo

folículo piloso

glándula sudorípara

nervio

vaso sanguíneo

glándula sebácea

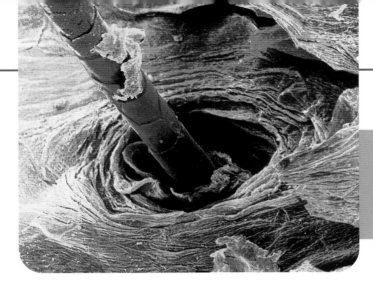

La capa intermedia de la piel, la dermis, es entre 15 y 40 veces más gruesa que la epidermis. Se compone de una red de vasos sanguíneos, terminaciones nerviosas y tejido conectivo. La superficie de la dermis exhibe muchas proyecciones diminutas con terminaciones nerviosas sensibles al tacto y se conectan con depresiones de la capa interna de la epidermis. Estas proyecciones son más numerosas en las palmas de las manos y las puntas de los dedos. La capa más profunda de la piel es el tejido subcutáneo, cuyo espesor varía mucho aunque es mayor que el de la epidermis y la dermis. Se compone de vasos sanguíneos, tejido conectivo y células que almacenan grasa. El tejido subcutáneo tiene las funciones de evitar la pérdida de calor del cuerpo y amortiguar los golpes.

Pelo, uñas y glándulas

Casi toda la piel, con excepción de las plantas de los pies y las palmas de las manos, está cubierta de pelo. La única parte viva de un pelo es el bulbo, en la raíz. El bulbo está bajo la superficie de la piel, en la dermis, envuelto por una estructura llamada folículo. Las células del pelo contienen una forma dura de queratina.

La uña está formada por tres partes: la placa (la parte exterior dura), el lecho (la parte bajo la placa) y la matriz (que está bajo la superficie de la piel en la base de la uña). Las células tanto de la placa como del lecho se forman en la matriz. Las células más viejas, ricas en queratina, son empujadas hacia la punta de la uña por el crecimiento de células nuevas en la base.

La piel tiene dos tipos de glándulas: sebáceas y sudoríparas. Las primeras secretan hacia los folículos pilosos un aceite, llamado sebo, que lubrica el pelo y la superficie de la piel. Las glándulas sudoríparas producen sudor: un líquido salado que enfría el cuerpo al evaporarse. Están presentes en toda la extensión de la piel, y algunas operan continuamente mientras que otras sólo producen sudor cuando el cuerpo se está sobrecalentando por un esfuerzo intenso o porque la temperatura externa es elevada. La transpiración es uno de los mecanismos que el cuerpo usa para mantener su temperatura interna en el nivel óptimo para la actividad celular.

3. Movimiento y soporte

Sólo los animales más simples carecen de algún tipo de músculo. El ser humano y otros animales tienen músculos muy parecidos que operan de la misma forma.

Los dos tipos principales de músculos son el esquelético (o estriado) y el liso. Algunos animales, como las anémonas de mar, sólo poseen músculos estriados; otros, como los calamares, tienen los dos tipos de músculos. El ser humano y otros **vertebrados** poseen músculos estriados y lisos, además de un tercer tipo, el músculo cardiaco, que sólo se encuentra en el corazón.

Músculo esquelético

Los músculos esqueléticos se componen de haces de cientos o incluso miles de largas y delgadas células musculares. Cada célula o fibra muscular es tan larga como el músculo del que forma parte, y puede alcanzar varios centímetros de longitud. A diferencia de otras células, las musculares tienen varios **núcleos** a todo lo largo. Este músculo se llama estriado porque al microscopio se ven bandas claras y oscuras, llamadas estrías, que se alternan. Las fibras musculares realizan un trabajo intenso al contraerse; por eso, contienen muchas **mitocondrias**, que son los **organelos** del interior de las células que liberan energía mediante la **respiración**.

Los músculos esqueléticos constituyen gran parte de nuestras piernas, brazos, tronco, cuello y cara. Ayudan a mantener unidos los huesos del esqueleto y dan forma al cuerpo. Siempre que caminas, corres, saltas, ríes, te sientas o volteas la cabeza, son esos músculos los que mueven el cuerpo.

Las fibras de los músculos esqueléticos se mantienen unidas mediante un tejido conectivo correoso y flexible que se extiende más allá de los extremos del músculo para formar **tendones**, que sujetan el músculo a los huesos. Un extremo

Foto ampliada de fibras de un músculo estriado, donde se aprecian las bandas o estrías que dan al músculo su nombre.
(Magnificación aprox. x 1200)

del músculo se aferra a un hueso que no se mueve cuando el músculo se contrae, mientras que el otro extremo se sujeta a un hueso que se mueve con la contracción.

Los músculos esqueléticos trabajan en pares. Un músculo de cada par se llama **flexor** porque flexiona una articulación y acerca una extremidad al cuerpo. El otro músculo, llamado **extensor**, efectúa la tarea opuesta. Por ejemplo, el bíceps de la parte delantera del brazo es un flexor: se contrae cuando flexionas el codo y levanta la mano hacia tu hombro. El tríceps de la parte de atrás del brazo endereza el codo y separa tu mano del hombro: es un extensor.

Músculo liso

Las células de los músculos lisos son más pequeñas que las fibras del esquelético y sólo poseen un núcleo. No controlamos conscientemente los músculos lisos, por lo que los llamamos involuntarios. Éstos siguen un patrón rítmico de contracción y relajación. Hay, por ejemplo, músculos lisos en las paredes del estómago, los intestinos y los vasos sanguíneos. Los músculos lisos de las paredes del estómago y el intestino empujan los alimentos a lo largo del tracto digestivo, mientras que los de las paredes de los vasos sanguíneos se contraen para regular el flujo de sangre.

Músculo cardiaco

El músculo cardiaco (del corazón) exhibe características tanto de músculo esquelético como de músculo liso. Sus células tienen estrías, como las fibras de músculo esquelético, pero sólo poseen un núcleo y se contraen automáticamente, como las células de músculo liso. Un grupo de células especializadas, llamado nodo sinoatrial, inicia cada contracción del músculo cardiaco emitiendo un impulso eléctrico regular. Este impulso es el "marcapasos" del corazón. Aunque se cortaran los nervios que conectan el resto del cuerpo con el corazón, éste seguiría latiendo.

Los músculos no pueden alargarse para empujar; sólo pueden contraerse y generar fuerza de tracción. Para empujar las pesas hacia arriba, esta mujer usa los músculos del pecho (pectorales) para tirar de sus brazos y juntarlos; al tiempo que sus tríceps, en el dorso de cada brazo, tiran del antebrazo por atrás y enderezan los codos.

Esqueletos

El esqueleto tiene tres funciones principales. En primer lugar, todos los animales (salvo los más pequeños) necesitan algún tipo de esqueleto para dar soporte al cuerpo y mantener la forma. En segundo lugar, el esqueleto protege órganos delicados como el cerebro y el corazón.

La tercera función del esqueleto es ayudar al movimiento. Los animales se mueven contrayendo y relajando los músculos, pero éstos no pueden funcionar si no tienen algo de qué tirar. Para eso está el esqueleto.

En el mundo animal hay tres tipos básicos de esqueletos: **hidrostáticos**, externos (**exoesqueletos**) e internos (**endoesqueletos**).

Esqueletos hidrostáticos y exoesqueletos

Los animales simples como las anémonas de mar poseen un esqueleto hidrostático, es decir, uno que opera moviendo líquido de una parte del cuerpo a otra empleando los músculos. Imagina que llenas parcialmente un globo con agua y luego aprietas una parte del globo para que el agua se vaya a la otra. Esto es parecido a lo que hace una anémona de mar cuando se estira para alimentarse. Sus músculos se contraen para empujar fluidos hacia los tentáculos. Al llenarse de fluido, los tentáculos se estiran. La lombriz de tierra también tiene un esqueleto hidrostático: se mueve contrayendo y relajando una serie de compartimentos llenos de fluido a lo largo de su cuerpo.

Insectos, arácnidos y animales parecidos, como crustáceos (cangrejos y langostas, por ejemplo) y ciempiés, poseen una cubierta exterior dura llamada exoesqueleto, que es como una armadura ligera y resistente que protege los órganos internos. Está hecho de un material llamado quitina. Los músculos del animal se sujetan a la pared interior del exoesqueleto, que está dividido en secciones, los segmentos, que se conectan entre sí mediante articulaciones flexibles. Estas articulaciones hacen posible el movimiento del animal.

Los exoesqueletos no pueden aumentar de tamaño; por tanto, a medida que el animal crece, el esqueleto se rompe y es abandonado (muda). Bajo el viejo exoesqueleto, se ha ido formando uno nuevo, que al principio es blando. Así, el animal puede expandirse para estirar el exoesqueleto antes de que se endurezca.

Esta anémona de mar piscívora usa presión hidrostática (de fluidos) para estirar sus tentáculos y atrapar a su presa.

Endoesqueletos

Un endoesqueleto (o simplemente "esqueleto") es una armazón interna rígida hecha de hueso o cartílago, que da forma al cuerpo de los **vertebrados**: peces, anfibios, reptiles, aves y mamíferos. Los huesos sostienen el cuerpo y protegen los órganos vitales.

Estructura ósea

El hueso no es un tejido "muerto". De hecho, es uno de los tejidos más activos del cuerpo. Células especializadas llamadas **osteoblastos** forman hueso nuevo a su alrededor tendiendo primero fibras y depositando luego sobre ellas cristales de un mineral duro llamado fosfato de calcio. Los huesos se están reconstruyendo todo el tiempo. En los niños, cerca del 3% (un treintavo) del hueso del esqueleto se descompone y se remplaza cada año. Esta tasa es mucho más baja en los adultos.

Los huesos son una especie de banco de minerales, donde se depositan y retiran continuamente elementos vitales como calcio, fósforo y sodio según las necesidades del cuerpo. Células embebidas en el hueso ayudan a controlar el equilibrio mineral produciendo **enzimas** que carcomen el tejido óseo y liberan los minerales requeridos hacia el torrente sanguíneo.

Todos los huesos tienen vasos sanguíneos y nervios. El centro de cada hueso está relleno con **médula** ósea roja o amarilla. La médula amarilla es en su mayor parte grasa; la roja es el sitio de formación de los glóbulos de la sangre y se encuentra principalmente en los huesos de la columna vertebral, las costillas, el esternón y los extremos de los huesos de las extremidades.

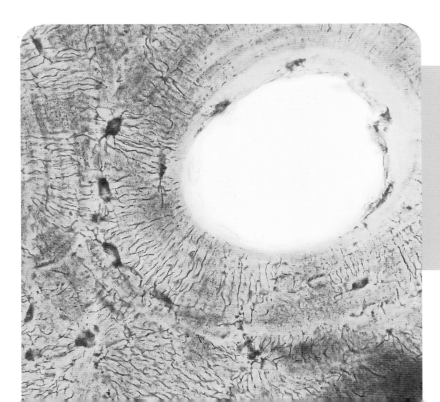

Vista ampliada de una sección de hueso. El círculo blanco es un canal (tubo) que, en el hueso vivo, encierra nervios y vasos sanguíneos. Los óvalos pardos son osteoblastos: las células que produjeron el hueso que las rodea.
(Magnificación aprox. x 125)

4. Células nerviosas

Casi todos los animales tienen algún tipo de sistema nervioso. Este sistema es una red interna de comunicaciones que permite al animal detectar cambios en el entorno, reaccionar ante ellos y ajustarse.

El sistema nervioso consiste en miles de millones de células especializadas llamadas **neuronas**, que forman una red que se extiende por todo el cuerpo. La información viaja por esta red en forma de impulsos eléctricos (impulsos nerviosos).

Las partes de una neurona

Cada neurona consta de tres partes básicas. El cuerpo celular es similar a cualquier otra célula: alberga el **núcleo** y los demás **organelos** necesarios para que la célula viva y crezca. Además, el cuerpo de la neurona es un centro que recibe y envía impulsos nerviosos.

Del cuerpo de la neurona se proyectan varias extensiones largas y delgadas, de las cuales la más larga es el **axón**, o fibra nerviosa. Las estructuras que solemos llamar nervios son en realidad haces de axones acomodados como los alambres de un cable telefónico.

El axón se especializa en llevar impulsos nerviosos del cuerpo celular a otra neurona, a una célula muscular o a una sensorial. El extremo del axón está ramificado, lo que le permite comunicar impulsos a más de una célula. Un solo axón puede tener suficientes ramas como para hacer contacto con miles de células más. El contacto entre neuronas no es directo: se interpone un corto espacio llamado **sinapsis**, a través del cual se transmiten los impulsos.

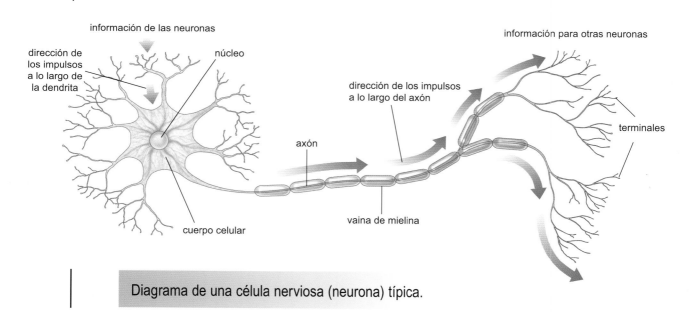

Diagrama de una célula nerviosa (neurona) típica.

Las otras extensiones del cuerpo celular, más pequeñas, se llaman **dendritas**. Se trata de estructuras especializadas en la recepción de impulsos nerviosos de otras neuronas. Por lo regular, una neurona tiene seis dendritas principales, y es a través de ellas que recibe información.

¡Estiramiento de nervios!

Casi todos los axones del sistema nervioso central tienen menos de un milímetro de longitud. En cambio, los axones que van de la médula espinal a los músculos de los pies pueden alcanzar una longitud de un metro.

Algunos axones están cubiertos por una vaina blanca de un material graso llamado **mielina**. Éste aísla al axón en casi toda su longitud, excepto en algunos puntos que se sitúan cada determinada distancia: los nodos. Cuando un impulso viaja por un nervio con vaina de mielina, "salta" de nodo a nodo. Esto permite al impulso viajar con mucha mayor rapidez que por una fibra nerviosa desnuda.

Esta microfotografía tomada con un microscopio electrónico muestra una sinapsis (punto de unión) entre una fibra nerviosa (morada) y el cuerpo de una neurona (amarillo). Ciertas sustancias que se producen en la sinapsis transmiten el impulso nervioso de una célula a la siguiente. (Magnificación aprox. x 10 000)

El sistema nervioso

En los **vertebrados**, el sistema nervioso se divide en dos partes: el sistema nervioso central y el sistema nervioso periférico. El primero es el sistema de mando del cuerpo: controla y coordina las actividades de todo el sistema. El sistema nervioso periférico transmite impulsos entre el sistema nervioso central y el resto del cuerpo. Una parte del sistema nervioso periférico se conecta con los músculos esqueléticos, tendones y piel. Otra parte, llamada sistema nervioso autónomo, se comunica con los órganos internos, como el corazón y el estómago.

El sistema nervioso central

El sistema nervioso central consta del encéfalo y la médula espinal.

La médula espinal es la "autopista de la información" del cuerpo. Transmite mensajes entre el encéfalo y el resto del cuerpo.

Los impulsos nerviosos viajan con gran celeridad por la médula espinal a través de haces de fibras nerviosas cubiertas con una vaina de **mielina**. En los **vertebrados**, la médula pasa por un orificio (canal) que corre por el centro de la columna vertebral (espina dorsal). Las vértebras (los huesos de la columna) protegen a la médula espinal.

En su parte más alta, la médula espinal se engrosa para formar la parte más baja del encéfalo: el **bulbo raquídeo**, que contiene células nerviosas que comunican información de los órganos de los sentidos a las partes superiores del encéfalo. Aquí también se originan muchas acciones reflejas (página opuesta) y se regula gran parte de las actividades del sistema nervioso autónomo.

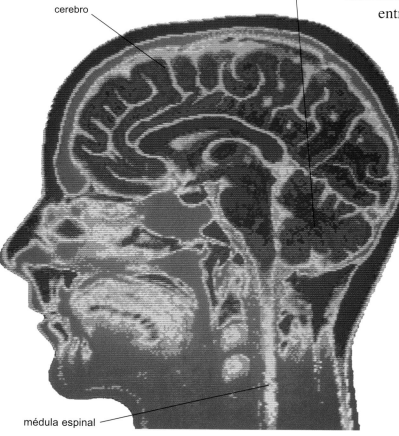

cerebro

cerebelo

médula espinal

Imagen coloreada que muestra una sección vertical del encéfalo de una mujer.
Se aprecian claramente el voluminoso cerebro, el cerebelo y la médula espinal.

En el ser humano, la parte principal del encéfalo es el **cerebro**, que consta de dos grandes hemisferios. El cerebro recibe información de los sentidos y la interpreta para crear una imagen del mundo exterior. Además, contiene áreas que mueven las distintas partes del cuerpo, aunque otra parte del encéfalo, el cerebelo, se encarga del control fino de los movimientos. El **cerebro** también es el centro del aprendizaje y la memoria.

Circuitos y reflejos

Gran parte de la labor del sistema nervioso emplea caminos llamados circuitos neuronales: trayectos nerviosos que van de los órganos de los sentidos a los músculos, pasando por el sistema nervioso central. Los ojos, oídos y demás órganos de los sentidos contienen neuronas especializadas llamadas **receptoras**, que captan información del entorno y la convierten en impulsos nerviosos que viajan a través de **neuronas sensoriales** al cerebro. Éste analiza la información del mundo exterior y decide qué hacer al respecto. Por ejemplo, un cazador que ve, huele o escucha a su presa podría decidir moverse hacia ella. El cerebro envía mensajes a los músculos a través de otras células nerviosas llamadas **neuronas motoras**.

El tipo más simple de circuito neuronal es un reflejo: una respuesta automática e involuntaria a un estímulo, en la cual no interviene el raciocinio consciente. Los músculos esqueléticos suelen describirse como voluntarios porque normalmente están bajo un control consciente, pero si tocamos un objeto muy caliente o filoso nuestros músculos alejan de inmediato la mano sin que tengamos que pensar en hacerlo. En una acción refleja, los impulsos siguen un camino simple que comunica a un receptor con un músculo a través de la médula espinal. En muchos reflejos interviene por lo menos una neurona más entre la sensorial que envía el mensaje al sistema nervioso y la motora que lleva la instrucción a los músculos. Por ejemplo, si tocas un objeto caliente, retiras la mano, pero al mismo tiempo se envía información al cerebro para que te des cuenta de lo que sucedió y sepas que no debes tocar ese objeto otra vez.

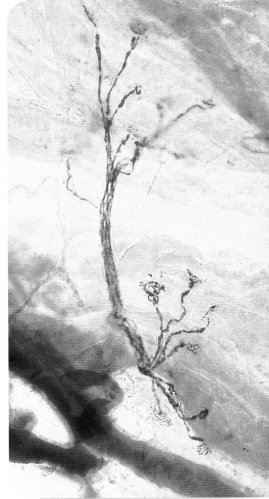

Las neuronas motoras van del encéfalo y la médula espinal a los músculos. Los impulsos que viajan por estas neuronas estimulan la contracción de los músculos. Esta foto muestra las conexiones ramificadas de una neurona motora con el tejido muscular. Las conexiones entre nervios y músculos son **sinapsis**, al igual que las conexiones entre nervios.
(Magnificación aprox. x 100)

Los sentidos

Los sentidos forman parte del sistema nervioso, y se les ha descrito como los recepcionistas de la "oficina" del cerebro. A través de los sentidos, los animales obtienen información acerca de lo que pasa dentro y fuera de su cuerpo. Un sistema sensorial consta de tres partes: células **receptoras**, que detectan un cambio en el entorno; **neuronas sensoriales**, que llevan impulsos nerviosos de los receptores al sistema nervioso central; y un área del cerebro que convierte las señales en una sensación.

Sentidos internos y externos

Hay muchos tipos de receptores sensoriales. Los sentidos internos detectan cambios químicos y físicos dentro del cuerpo, por ejemplo, cambios en la presión de la sangre o en el tamaño del estómago. Mediante señales, se informa al encéfalo de tales cambios, y éstas provocan sensaciones como hambre, sed, cansancio o dolor. Esta vigilancia continua ayuda a mantener las condiciones internas del animal en un nivel óptimo para efectuar los procesos químicos de la vida. Todo es parte de la cooperación entre células, que mantiene la salud de todo el animal.

Los sentidos externos, como la vista, el oído, el tacto y el gusto, reciben información acerca del entorno. Receptores cercanos a la superficie del cuerpo responden al tacto, la presión y los cambios de temperatura. Los tipos más simples de receptores son las terminaciones nerviosas ramificadas de la piel. Los receptores del olfato humano son quimiorreceptores, lo mismo que los del gusto, localizados en la superficie de la lengua. Ellos detectan sustancias presentes en el aire o en el agua, dependiendo de dónde vive el animal.

El sentido de la visión

Todos los seres vivos son sensibles a la luz. Las plantas se orientan hacia el sol e incluso las **bacterias** pueden reaccionar ante fuentes luminosas. No obstante, sólo los animales más complejos cuentan con células sensibles a la luz (fotorreceptores). Al incidir la luz en un fotorreceptor, éste responde generando impulsos nerviosos.

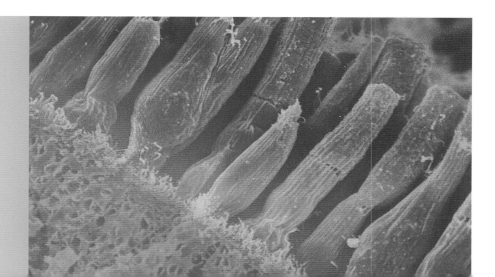

Esta vista ampliada de la retina de un ojo humano muestra los distintos fotorreceptores (llamados bastones y conos) que contiene. (Magnificación aprox. x 1200)

Algunos animales tienen un mejor sentido de la vista que otros. Las lombrices de tierra no tienen ojos pero sí fotorreceptores dispersos en la superficie de su cuerpo que le permiten reaccionar a estímulos luminosos. En contraste, los ojos de un mamífero tienen cerca de 125 millones de fotorreceptores de dos tipos: bastones y conos. Los bastones detectan luz tenue y perciben movimientos de noche. Los conos sólo responden a la luz brillante. Se cree que hay tres tipos de conos, sensibles a distintos intervalos de longitud de onda. Gracias a ellos, ciertos animales pueden distinguir colores.

Los fotorreceptores no bastan para que un animal tenga sentido de la vista. Se requieren neuronas en el sistema nervioso central para convertir las señales de los distintos fotorreceptores en una imagen visual.

Mundos distintos

Los diferentes animales tienen distintas combinaciones y números de receptores, así que su percepción del mundo es diferente.

En el ser humano, el sentido de la vista es importante. Nuestra visión es muy buena, pero los ojos de las aves de rapiña, por ejemplo, son mucho más agudos, y hay muchos animales cuyo campo visual es más amplio que el nuestro.

En otros animales, el olfato o el oído son tanto o más importantes que la vista. La nariz humana tiene cerca de 5 millones de receptores olfativos, pero la de un sabueso posee más de 200 millones. La visión de los murciélagos es muy deficiente, pero su oído es excelente. El animal produce una serie de sonidos agudos y usa los ecos que rebotan en los objetos a su alrededor para formar una "imagen sonora" de su entorno.

Las polillas macho son tan sensibles al olor producido por la hembra de su especie que pueden captarlo a varios kilómetros de distancia. Las largas antenas plumosas de esta polilla de la seda contienen millones de receptores olfatorios. (Magnificación aprox. x 20)

La imagen del mundo que tiene una abeja, o un murciélago, es muy distinta de la nuestra. Por ejemplo, una abeja ve en las flores patrones que le indican dónde está el néctar, porque posee fotorreceptores sensibles a la luz ultravioleta.

5. Mensajeros químicos

Las actividades de un animal multicelular no sólo están bajo el control del sistema nervioso. Las células también responden a cambios en el entorno absorbiendo y liberando diversas sustancias. Estas respuestas químicas deben coordinarse de alguna manera para lograr la cooperación de los millones de células que forman el cuerpo del animal. Esto se hace mediante moléculas señalizadoras, llamadas **hormonas**, que viajan por la sangre de una parte del cuerpo a otra.

Hormonas

La palabra hormona proviene de un vocablo griego que significa "poner en marcha". Las hormonas controlan actividades del cuerpo como el crecimiento, el desarrollo y la reproducción. Por ejemplo, la metamorfosis de una oruga en mariposa se regula con hormonas. Los **vertebrados**, y sobre todo los mamíferos, tienen en general las mismas hormonas, que efectúan las mismas tareas. Por ello, hormonas secretadas por otros animales pueden emplearse para tratar a personas que no las producen en cantidad suficiente. Por ejemplo, millones de personas padecen diabetes, un desorden causado por la deficiencia de la hormona insulina. Hasta la década de 1980, los doctores trataron la condición dando a los diabéticos insulina obtenida de ciertos animales, como el cerdo. Hoy día se usan **bacterias** genéticamente alteradas para fabricar insulina humana.

Las glándulas endocrinas

Casi todas las hormonas del cuerpo humano se producen en órganos llamados **glándulas endocrinas**. Las principales son las dos suprarrenales, la hipófisis o pituitaria, las cuatro paratiroides, las sexuales (**ovarios** en la mujer y **testículos** en el hombre) y la tiroides.

Unas cuantas hormonas se producen en células endocrinas aisladas situadas en órganos como el páncreas o el estómago. Las hormonas son volcadas en la sangre, que las lleva por todo el cuerpo.

Esta fotografía muestra los efectos que la llamada hormona del crecimiento puede tener sobre la estatura. La mujer, una actriz francesa llamada Mimie Mathy, padece enanismo (falta de hormona del crecimiento). El hombre es de estatura normal.

Las hormonas pueden agruparse según su función. Las hormonas metabólicas, por ejemplo, regulan los diversos pasos del **metabolismo**: la liberación de energía de los alimentos y el crecimiento de nuevas células.

Las células endocrinas del estómago y el intestino delgado generan hormonas que regulan la digestión controlando la producción de **enzimas** que descomponen el alimento en sustancias útiles para el cuerpo. Una vez que las moléculas digeridas se absorben en el torrente sanguíneo, otras hormonas controlan su uso en el cuerpo. Por ejemplo, la insulina, que ya mencionamos, se produce en el páncreas y hace que la **glucosa** presente en la sangre se convierta en glucógeno, un **carbohidrato** que se almacena en el hígado y los músculos. Otra hormona secretada por el páncreas, el glucagón, hace que el hígado deje de hacer glucógeno y lo convierta otra vez en glucosa. Así, el páncreas regula la cantidad de azúcar (de la que las células obtienen energía) en la sangre.

Acción coordinada

El sistema nervioso y el endocrino actúan como una unidad. Los órganos de los sentidos obtienen información acerca de los cambios en el entorno y la envían al cerebro a través del sistema nervioso. El cerebro usa la información para decidir si debe hacer algo; si decide que sí, inicia una respuesta.

Por ejemplo, en momentos de peligro o emoción, señales de una parte del sistema nervioso autónomo preparan al cuerpo para enfrentar una situación de tensión. Las señales nerviosas inician la liberación de las hormonas adrenalina y noradrenalina de las glándulas suprarrenales. Esas sustancias tienen varios efectos; por ejemplo, la adrenalina aumenta el ritmo cardiaco y acelera la liberación de energía del alimento en los músculos.

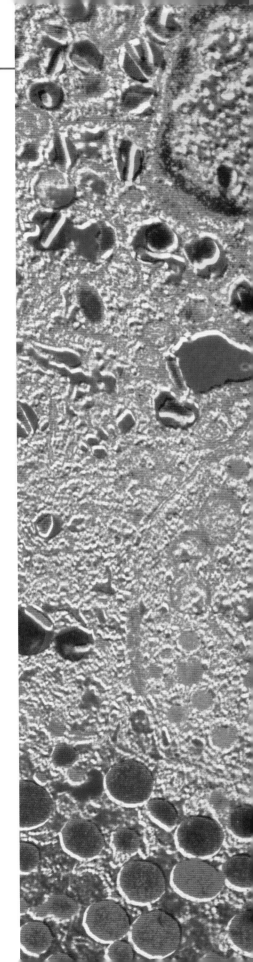

Esta vista ampliada muestra células de los islotes de Langerhans en un páncreas. Las células verdes de arriba producen la hormona insulina, mientras que las células rosadas de abajo producen glucagón. (Magnificación aprox. x 3000)

6. Regulación y control

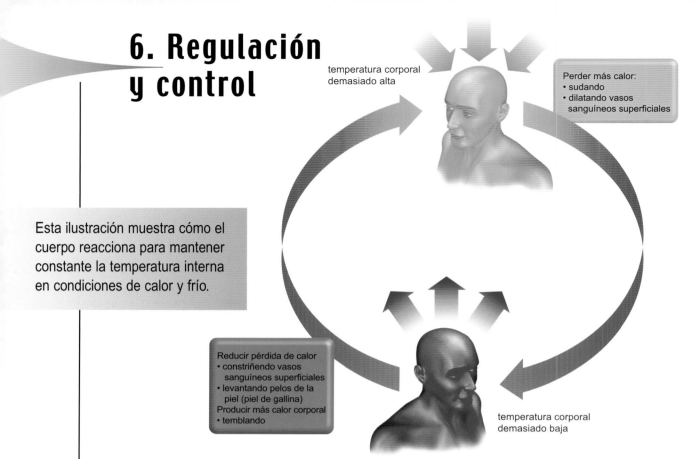

temperatura corporal demasiado alta

Perder más calor:
• sudando
• dilatando vasos sanguíneos superficiales

Esta ilustración muestra cómo el cuerpo reacciona para mantener constante la temperatura interna en condiciones de calor y frío.

Reducir pérdida de calor
• constriñendo vasos sanguíneos superficiales
• levantando pelos de la piel (piel de gallina)
Producir más calor corporal
• temblando

temperatura corporal demasiado baja

Un animal saludable debe mantener las condiciones en el nivel óptimo para que sus células trabajen con eficiencia. Las **enzimas** de las células operan óptimamente dentro de un intervalo de temperaturas de 30 a 40°C.

A temperaturas mayores, las enzimas comienzan a descomponerse, los procesos celulares se detienen y el organismo muere. Es fundamental controlar la temperatura y el abasto de agua y **nutrientes** a las células. Para seguir con vida, las células humanas, o las de cualquier otro animal, deben recibir todos los nutrientes que necesitan y eliminar los productos de desecho.

Los sentidos internos del cuerpo vigilan los cambios en las condiciones del interior del cuerpo. Si hay un desequilibrio, ello provoca respuestas como escalofríos, hambre, sed, producción de **hormonas** que retienen agua, etc. El mantenimiento de condiciones estables dentro del cuerpo se llama **homeostasis**. Todas las partes del animal colaboran en la homeostasis.

Control ambiental

Los animales a menudo deben efectuar ajustes internos en respuesta a cambios en su entorno, como cambios de temperatura o de humedad. Los cambios originan reflejos homeostáticos. Un ejemplo es lo que sucede cuando sales de una casa fresca al sol intenso. Es absolutamente crucial que las células del cuerpo no se sobrecalienten, y los mecanismos homeostáticos cuidan que eso no suceda.

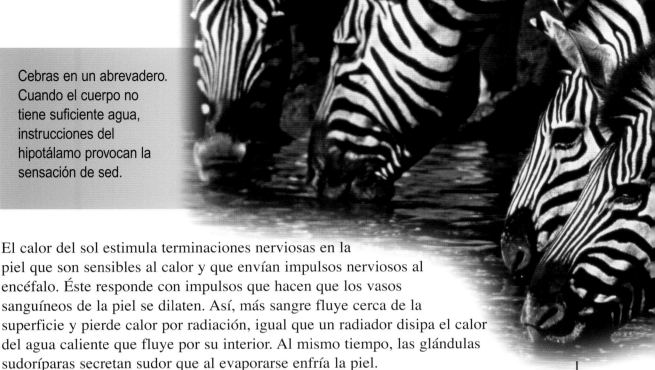

Cebras en un abrevadero. Cuando el cuerpo no tiene suficiente agua, instrucciones del hipotálamo provocan la sensación de sed.

El calor del sol estimula terminaciones nerviosas en la piel que son sensibles al calor y que envían impulsos nerviosos al encéfalo. Éste responde con impulsos que hacen que los vasos sanguíneos de la piel se dilaten. Así, más sangre fluye cerca de la superficie y pierde calor por radiación, igual que un radiador disipa el calor del agua caliente que fluye por su interior. Al mismo tiempo, las glándulas sudoríparas secretan sudor que al evaporarse enfría la piel.

Todos estos cambios corporales se dan sin que tengamos que pensar en ello. No podrías efectuarlos voluntariamente, ni evitar que se efectúen. Todo el proceso es automático.

Hambre y sed

Todo el mundo reconoce la sensación del hambre: movimientos del estómago, inquietud y tal vez una sensación de debilidad o cansancio. El cuerpo tiene muchas formas de decirnos que debemos comer. Normalmente, un animal come lo suficiente para satisfacer sus necesidades, y su peso corporal no varía mucho. Es raro ver un animal silvestre gordo. Una parte del cerebro llamada hipotálamo contiene **recepores** sensibles a la cantidad de azúcar en la sangre, y se encarga de mantenerla en equilibrio. Si el hipotálamo se daña, el resultado puede ser un hambre excesiva o la falta total de apetito.

Cuando sentimos sed, nuestra boca se reseca porque producimos menos saliva en un intento por ahorrar el agua que permanece en el cuerpo. Esa resequedad provoca que deseemos beber.

El hipotálamo también desempeña un papel importante en la regulación de la cantidad de agua presente en el cuerpo. Unas células del hipotálamo llamadas osmorreceptores son sensibles a cambios en la composición de la sangre. Si baja el contenido de agua de la sangre, los osmorreceptores se estimulan. Esto hace que se secrete una hormona llamada ADH (antidiurética) cuyo efecto es reducir la producción de orina para ahorrar agua. Al beber el animal, el contenido de agua de la sangre vuelve a su nivel normal y se suspende la producción de ADH.

Manejo de desechos

Las células animales existen en un mundo acuoso: están rodeadas por una solución química que llena los espacios entre ellas. Las células absorben de este fluido las sustancias que necesitan y tiran en él sus materiales de desecho, como los subproductos de reacciones químicas, el exceso de agua y las sales, y las **hormonas** que ya cumplieron con su misión. Si esos desechos se acumularan, pronto dañarían a la célula. Todos los animales necesitan un mecanismo para deshacerse de esos productos de desecho y mantener su salud. El proceso para lograrlo se llama **excreción**.

Un desecho importante es el bióxido de carbono que se forma cuando azúcares u otros **carbohidratos** se descomponen para liberar energía. La sangre puede transportar fácilmente el bióxido de carbono hasta los pulmones, de donde es eliminado al exhalar.

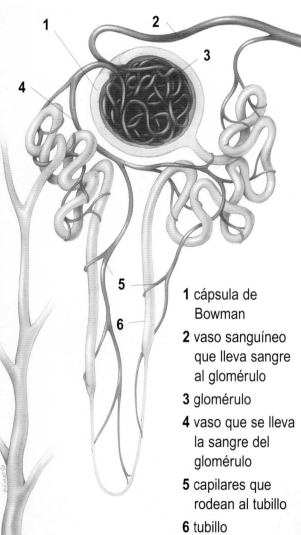

1 cápsula de Bowman

2 vaso sanguíneo que lleva sangre al glomérulo

3 glomérulo

4 vaso que se lleva la sangre del glomérulo

5 capilares que rodean al tubillo

6 tubillo

El sistema urinario

No es tan fácil deshacerse de otros productos de desecho. En los mamíferos, órganos especiales llamados riñones se encargan de excretar esos y otros desechos.

Los riñones forman parte del aparato urinario, que desempeña un papel importante en la regulación de la cantidad de agua y sustancias disueltas en el cuerpo. Los riñones filtran la sangre y extraen de ella sustancias indeseables como las sales. Entre los principales desechos están compuestos nitrogenados que se forman por descomposición de las **proteínas**.

La sangre llega a los riñones por un vaso llamado arteria renal, que en el interior del riñón se subdivide muchas veces hasta formar una red de capilares, a través de la cual los glóbulos rojos de la sangre apenas pueden pasar uno por uno. Los capilares se enroscan para formar los llamados **glomérulos**, cada uno de los cuales está rodeado casi totalmente por una estructura cóncava llamada **cápsula de Bowman**.

Esta ilustración muestra la unidad básica del riñón: un glomérulo con su cápsula de Bowman y capilares circundantes. Esta unidad se llama **nefrona**.

La presión de la sangre dentro del glomérulo hace que parte de su líquido (el **plasma**) se fugue por las paredes del capilar. Los glóbulos rojos y las proteínas de la sangre no pueden salir debido a su tamaño. El fluido que pasa está formado en su mayor parte por agua con sales, **glucosa** y compuestos nitrogenados.

El fluido que sale de los capilares se acumula en la cápsula de Bowman y escurre por un **tubillo** sinuoso. Los capilares forman una red alrededor de éste y reabsorben de él las sustancias que el cuerpo todavía necesita. Toda la glucosa se reabsorbe, junto con buena parte del agua y algunas sales. El exceso de sales, algo de agua y los compuestos nitrogenados continúan por el túbulo hasta llegar a la vejiga, donde se almacenan hasta que se expulsan del cuerpo en forma de orina.

Ósmosis

El agua entra y sale de las células por **ósmosis**, que es el paso de agua a través de una **membrana**. Si dos soluciones están separadas por una membrana celular o cualquier otra membrana semipermeable, fluye agua de la solución más concentrada a la más diluida. Las sustancias también pueden atravesar una membrana celular si proteínas incrustadas en ésta las "bombean" (esto se llama transporte activo). El transporte activo sirve para pasar sustancias de una región de baja concentración a una región de más alta concentración. A diferencia de la ósmosis, esto requiere energía que se obtiene de la respiración.

La rata canguro vive en el desierto, donde escasea el agua. Su riñón se ha adaptado y posee nefronas con tubillos muy largos, para ahorrar más agua.

7. Alimentación y digestión

Todos los animales necesitan comer. Los **nutrientes** de la comida proporcionan las materias primas que se requieren para construir nuevas células y reparar las ya existentes. También son el "combustible" que impulsa las actividades de las células.

El alimento de un animal contiene **proteínas**, **carbohidratos**, **lípidos** (grasas) y otros compuestos similares a los que constituyen el cuerpo del animal. Sin embargo, las moléculas del alimento en general son demasiado grandes para que las células del cuerpo las absorban directamente. Primero hay que descomponerlas en sustancias más simples, como azúcares de los carbohidratos y **aminoácidos** (los "bloques de construcción" de las proteínas) que sí pueden pasar a la sangre. Los azúcares, aminoácidos y demás moléculas pequeñas pueden entonces utilizarse como fuente de energía o para construir nuevos componentes celulares.

El aparato digestivo se encarga de tomar alimento y proporcionar nutrientes a las células del cuerpo. Para ello, efectúa cinco tareas:
- desbarata la comida, la mezcla y la empuja,
- produce y secreta **enzimas** digestivas,
- descompone el alimento en moléculas pequeñas que se absorban,
- proporciona una superficie extensa para la absorción de nutrientes por la sangre, que los transportará al resto del cuerpo,
- elimina los restos no digeridos del alimento.

Una dieta balanceada

Todos los animales necesitan una mezcla similar de nutrientes básicos en su alimento. Algunos animales producen ciertos nutrientes que otros no pueden hacer, pero en general una dieta balanceada consiste en una mezcla de **carbohidratos**, **proteínas**, **lípidos** y **vitaminas**.

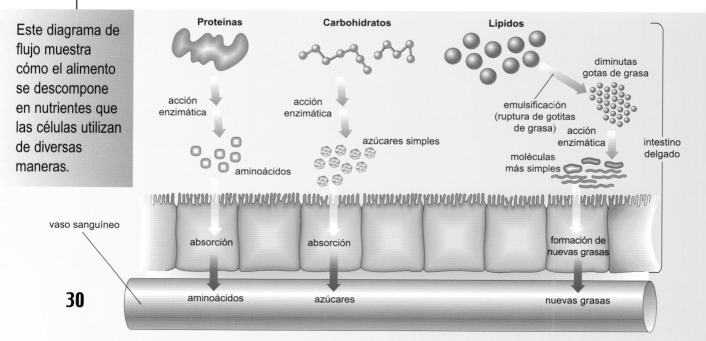

Este diagrama de flujo muestra cómo el alimento se descompone en nutrientes que las células utilizan de diversas maneras.

Los carbohidratos son la principal fuente de energía de una célula animal. Los más grandes, como el almidón, no pueden absorberse directamente: deben descomponerse en azúcares como la **glucosa** (que las células absorben y usan fácilmente). No se requiere un carbohidrato específico, pero un animal privado de carbohidratos tarde o temprano muere.

Las proteínas son componentes indispensables de las células. Las moléculas de proteínas se producen a partir de aminoácidos obtenidos de la dieta. Las células animales usan alrededor de 20 aminoácidos distintos, de los cuales cerca de la mitad son esenciales porque el animal no puede elaborarlos a partir de otras sustancias: si no están presentes en su dieta el animal enfermará y morirá.

Los lípidos incluyen a las grasas y compuestos similares. Son componentes básicos de las **membranas** celulares y, además, se almacenan gotitas de grasa en el **citoplasma** como fuente de energía. Se elaboran lípidos a partir de una gama de otros compuestos como proteínas o carbohidratos, por lo que muchos animales necesitan poca o ninguna grasa en su dieta. No obstante, algunos animales no pueden producir ácidos grasos esenciales, que deben estar presentes en el alimento.

Las vitaminas son un grupo variado de moléculas necesarias para construir moléculas mayores o efectuar ciertas reacciones químicas en las células. Las plantas pueden elaborar todas las vitaminas que necesitan, pero los animales deben obtenerlas de su dieta.

Algunos **minerales**, como el calcio para los huesos y el hierro para los glóbulos rojos de la sangre, también deben estar incluidos en la dieta.

Por último, todas las células necesitan agua, que constituye hasta el 95% del peso corporal de algunos animales. Se pierde líquido a través de los pulmones al exhalar, y a través de la orina. Algunos mamíferos también lo pierden al sudar. El agua debe reponerse para mantener la salud. La obtenemos al beber y al comer. Un humano adulto sano obtiene casi tanta agua de la comida como de la bebida.

Las frutas y verduras frescas, proporcionan vitaminas y minerales. Algunas personas ingieren complementos vitamínicos.

El tracto digestivo

Hay casi tantas formas de alimentarse como tipos hay de animales. Algunos comen partículas muy pequeñas; otros consumen cosas mayores. Algunos raspan o perforan su alimento; otros lo capturan y mastican antes de deglutirlo. Algunos se alimentan de fluidos producidos por plantas u otros animales.

Los animales grandes necesitan un tracto (tubo) digestivo para procesar la comida y descomponerla en sustancias utilizables. Las primeras etapas del proceso digestivo tienen lugar en la boca, donde el alimento puede triturarse y dividirse en fragmentos para que las **enzimas** digestivas dispongan de una mayor superficie sobre la cual actuar. Una vez que la comida se ha masticado lo suficiente, la lengua la empuja hacia atrás para su deglución. Un tubo llamado **esófago** lleva el alimento al estómago.

El estómago

El estómago es uno de los más importantes órganos del aparato digestivo. Cumple con tres funciones principales: mezcla y almacena el alimento que llega del esófago; produce jugos digestivos que contienen enzimas para disolver el alimento e iniciar su descomposición; y actúa como una especie de retén para la comida, que luego se envía poco a poco al intestino delgado.

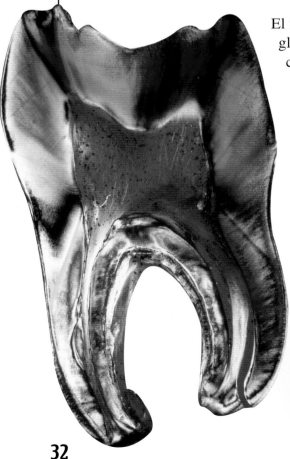

El forro interior del estómago posee muchas células glandulares que producen jugo gástrico, el cual contiene la enzima pepsina que descompone las **proteínas** en moléculas más pequeñas. Además, el estómago genera ácido clorhídrico, que establece las condiciones ácidas en las que la pepsina funciona mejor y, además, mata muchas bacterias y otros microorganismos del alimento. El estómago elabora cerca de dos litros de jugo gástrico al día.

El estómago cuenta con bandas musculares en sus paredes. Ondas de contracción y relajación, llamadas peristaltismo, recorren las paredes del estómago, mezclando su contenido. Las ondas se intensifican al acercarse a la base del estómago.

Corte de un diente humano, fotografiado bajo luz polarizada. Los dientes sirven para moler y cortar el alimento antes de que se envíe al estómago.

El mundo de la vaca

Los herbívoros, como las vacas, comen grandes cantidades de pastos y otras materias vegetales. El principal **carbohidrato** de este alimento es la celulosa, que los animales no pueden digerir por sí solos. Sin embargo, el estómago de la vaca contiene millones de bacterias que producen una enzima capaz de digerir la celulosa y liberar **nutrientes** que la vaca aprovecha.

Hay muchos otros microorganismos en el estómago de la vaca, algunos de los cuales son comidos por criaturas unicelulares llamadas **protistas** que también viven en el estómago. A su vez, los protistas son digeridos en el intestino delgado de la vaca, la cual obtiene así un suplemento proteico para su dieta pobre en proteínas.

El intestino delgado

En los mamíferos, la mayor parte del proceso de digestión y absorción se efectúa en el intestino delgado, cuyo forro interno produce jugo intestinal. Además, el intestino recibe jugo del páncreas y bilis del hígado a través de la vesícula biliar. Todos estos jugos son ricos en enzimas que participan en la digestión.

La superficie interior del intestino delgado está cubierta por masas de proyecciones semejantes a dedos, llamadas vellos, que a su vez están cubiertas por miles de proyecciones más pequeñas llamadas microvellos. Juntos, los vellos y microvellos multiplican enormemente el área disponible para absorber los productos de la digestión. Inmediatamente abajo del **epitelio** del intestino delgado hay una red de capilares sanguíneos, hacia los cuales se difunden los **nutrientes** producidos por la digestión.

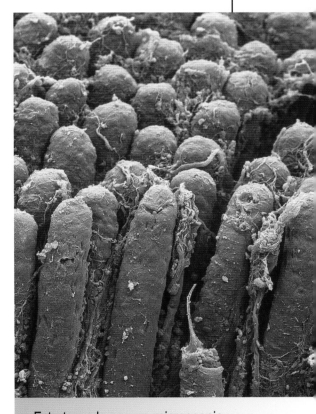

Foto tomada con un microscopio electrónico de barrido que muestra los vellos del intestino delgado.
(Magnificación aprox. x 100)

El intestino grueso

El material que no se absorbe en el intestino delgado pasa al intestino grueso o colon. En el ser humano y los carnívoros casi no hay digestión en este tramo del tracto digestivo. El principal proceso es la absorción de agua y la compresión de los desechos no digeridos en una masa compacta que saldrá del cuerpo a través del ano. En muchos herbívoros (como los conejos y caballos), el intestino grueso contiene millones de bacterias que digieren la celulosa.

8. Circulación y respiración

Una vez digerido y absorbido, el alimento debe llegar a todas las células del cuerpo. La sangre es el sistema de transporte del cuerpo; lleva **nutrientes** a las células, además del oxígeno que requieren para obtener energía de esos nutrientes. La sangre también se lleva los productos de desecho de las células: compuestos nitrogenados y sales a los riñones para **excretarlos**, y bióxido de carbono a los pulmones. Las **hormonas** también viajan por la sangre desde las **glándulas endocrinas** hasta los lugares donde actúan.

Cerca de la mitad del volumen de la sangre consiste en células. El resto es un líquido amarillento, el **plasma**. Casi todas las células son glóbulos rojos, que semejan discos abollados en cada cara. Son rojos porque contienen un pigmento, la hemoglobina, a la que se une el oxígeno. Así es como la sangre lo transporta. Además, la sangre contiene glóbulos blancos que son una parte importante del sistema inmunológico (la defensa del cuerpo contra enfermedades).

Circulación

La sangre viaja por una amplia red de vasos que se extiende a todas las partes del cuerpo. El centro de esta red es el corazón: una bomba muscular que empuja la sangre por dos circuitos separados. Uno recorre los pulmones, donde la sangre absorbe oxígeno y se deshace del bióxido de carbono: es el circuito pulmonar. El segundo lleva la sangre oxigenada a todo el cuerpo, donde las células toman oxígeno y eliminan el bióxido de carbono de desecho: es el circuito sistémico.

Las arterias llevan sangre del corazón al resto del cuerpo. Cada arteria tiene un forro interno de células epiteliales llamado endotelio. Su superficie es lisa para que la sangre fluya fácilmente por la arteria. Abajo hay una capa de músculo liso y luego una capa exterior de tejido elástico y fibroso. Las arterias son muy fuertes, pues deben resistir la presión de la sangre que sale del corazón. Al llegar a los tejidos del cuerpo, las arterias se dividen en vasos más pequeños llamados arteriolas, que son similares aunque con más músculo liso en sus paredes. Este músculo puede contraerse para constreñir o dilatar las arteriolas, dependiendo de cuánta sangre deba fluir a una parte dada del cuerpo.

Esta foto ampliada muestra capilares que llevan sangre a células musculares humanas.
(Magnificación aprox. x 120)

Las arteriolas se ramifican muchas veces hasta formar los vasos sanguíneos más diminutos: los capilares. La pared de un capilar consiste en una capa de endotelio, de una célula de espesor. Estos vasos son tan estrechos que los glóbulos rojos deben pasar "en fila india". Ninguna célula del cuerpo está a mayor distancia que 0.2 milímetros de un capilar, y casi todas están mucho más cerca. El plasma sale con relativa facilidad de los capilares, fugándose por los huecos entre las células de su pared. Esto permite el intercambio de sustancias entre las células del cuerpo y la sangre. Cuando el plasma sale de la sangre a los tejidos se le llama fluido tisular. Todas las células del cuerpo están bañadas por este fluido. Ya vimos que es fundamental para la salud de las células regular la composición de este fluido.

Los glóbulos rojos no pueden salir de los capilares, pero los blancos sí pueden pasar por los huecos de la pared. Los glóbulos rojos intercambian con el fluido tisular el oxígeno que llevan, el cual llega así a las células. El bióxido de carbono de las células se difunde hacia los capilares. Casi todo viaja disuelto en el plasma, pero una parte se une a la hemoglobina de los glóbulos rojos.

Cerca del 90% del fluido que se fuga de los capilares regresa de nuevo a su interior. Los capilares se juntan para constituir vasos más grandes llamados vénulas, que a su vez forman venas. La función de éstas es devolver la sangre al corazón. Su estructura es parecida a la de las arterias, aunque la capa muscular es mucho más delgada. Las venas no necesitan paredes tan gruesas porque en ellas la presión de la sangre que regresa es mucho menor. A intervalos regulares, la pared interior de las venas presenta válvulas que permiten a la sangre fluir hacia el corazón pero no en dirección opuesta.

¡Ahí vienen los rojos!

Un solo milímetro cúbico de sangre humana tiene cerca de 5 millones de glóbulos rojos, cada uno de los cuales posee 250 millones de moléculas de hemoglobina. Cada una de éstas puede llevar cuatro moléculas de oxígeno, así que un solo glóbulo rojo es capaz de transportar mil millones de moléculas de oxígeno. Los glóbulos rojos carecen de **núcleo** y de **mitocondrias**. Esto deja más espacio para la hemoglobina y hace posible llevar más oxígeno.

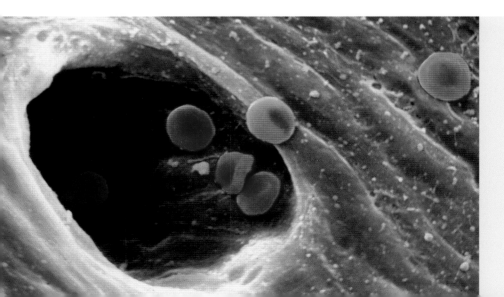

En esta microfotografía electrónica vemos glóbulos rojos que entran en un vaso sanguíneo pequeño.
(Magnificación aprox. x 2000)

Respiración

La energía necesaria para las células se obtiene del alimento mediante una serie de reacciones químicas, la **respiración celular**, que se efectúan dentro de los **organelos** llamados **mitocondrias**. El proceso requiere oxígeno y produce bióxido de carbono como desecho, así que todos los animales necesitan que oxígeno de su entorno llegue hasta sus células y que el bióxido de carbono salga de ellas. Este intercambio de gases se efectúa de diversas maneras en los distintos animales.

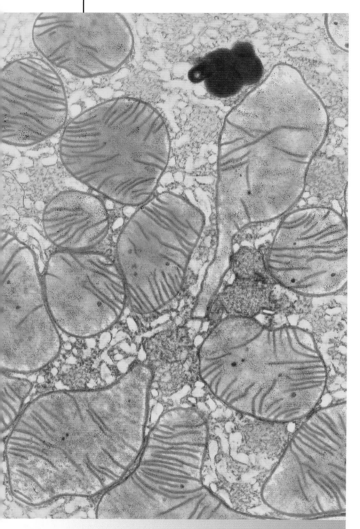

Las mitocondrias (verdes aquí) son las plantas de energía de la célula. Las reacciones químicas de la respiración se efectúan en las mitocondrias y liberan energía que la célula puede usar para crecer y reparar los daños sufridos. (Magnificación aprox. x 46 000)

Branquias

Casi toda el agua contiene oxígeno disuelto, y sólo así puede sustentar la vida (excepto en el caso de ciertas bacterias). Los animales que viven en el agua, como los peces, poseen órganos especializados llamados **branquias** para intercambiar gases.

Las branquias están adaptadas para mantener un flujo constante de agua por su superficie interna, la cual tiene muchos pliegues para acrecentar el área de contacto y, por debajo, numerosos capilares. La sangre que fluye por las branquias viene desde el corazón, así que tiene poco oxígeno pero mucho bióxido de carbono. El agua que fluye por las branquias tiene más oxígeno, así que una cantidad pasa del agua a la sangre. Por otra parte, la sangre contiene más bióxido de carbono, así que éste pasa de la sangre al agua.

Las branquias no funcionan fuera del agua porque los pliegues se pegan si no corre líquido entre ellos. Debido a esto, un pez se asfixia en el aire, aunque haya mucho más oxígeno que en el agua.

Tubos de aire y pulmones

El aire contiene mucho más oxígeno que el agua, y los niveles de bióxido de carbono son muy bajos. Los animales terrestres tienen diversas formas de extraer oxígeno del aire. Los insectos poseen una red de tubos huecos ramificados llamados tráqueas que corren por todo el cuerpo. Las tráqueas están conectadas a pequeñas aberturas en la superficie del cuerpo, los espiráculos. El movimiento del cuerpo del animal y sus músculos para volar ayudan a que entren y salgan gases de las tráqueas. El oxígeno se mueve lentamente hacia el aparato circulatorio del insecto, donde el bióxido de carbono sale en dirección contraria. Las tráqueas no son un sistema muy eficiente para el intercambio de gases, y éste es uno de los motivos por el que los insectos no alcanzan gran tamaño.

Todos los mamíferos respiran por pulmones que, al igual que las branquias, tienen un área de contacto con el medio muy extensa que les permite intercambiar oxígeno y bióxido de carbono.

El aire entra en el cuerpo por la nariz o la boca y pasa a la **tráquea**, la cual después se divide en dos tubos más estrechos llamados bronquios, uno para cada pulmón. Dentro del pulmón, los bronquios se dividen en tubos cada vez más angostos que en última instancia van a dar a diminutas bolsas llamadas **alveolos**, que semejan microscópicos racimos de uvas. Cada alveolo está forrado de un **epitelio** húmedo de una sola célula de espesor. Una red de delgados capilares rodea a los alveolos.

La sangre que entra en los pulmones tiene poco oxígeno y sí mucho bióxido de carbono. Este gas sale de la sangre y se exhala. El oxígeno entra en la sangre y se une a las moléculas de hemoglobina de los glóbulos rojos. Un glóbulo rojo tarda menos de medio segundo en absorber mil millones de moléculas de oxígeno. A partir de este punto, corresponde al aparato circulatorio llevar el oxígeno a las células del cuerpo.

Respira hondo

Hay cerca de 300 millones de alveolos en cada uno de tus pulmones. En un adulto, el área total disponible para intercambio de gases en los pulmones es de unos 70 metros cuadrados, suficiente para cubrir una cancha de tenis.

Corte seccional de un grupo de alveolos, donde se aprecian las diminutas bolsas.
(Magnificación aprox. x 400)

9. Combate de infecciones

Todos los animales tienen defensas contra las enfermedades. En los **vertebrados**, el sistema inmunológico es la fuerza de defensa del cuerpo; destruye los microorganismos patógenos, como las **bacterias** y los **virus**, que atacan a las células del animal. Algunas defensas del cuerpo vigilan todo el tiempo y no son específicas (cualquier microorganismo las activa). Otras son más específicas y sólo se activan en presencia de ciertos microorganismos patógenos.

Defensas de primera línea

Las defensas de primera línea siempre están listas para enfrentar infecciones en el momento que ocurran. La primera línea de defensa contra las enfermedades es la piel, que en muchos animales actúa como barrera física e impide la entrada de la gran mayoría de los organismos patógenos al cuerpo. Otras áreas, como el recubrimiento del intestino y la garganta, están protegidas por **membranas** cubiertas de una capa de **moco** que contiene **enzimas**, como la lisozima, capaces de destruir bacterias.

Si los microorganismos logran pasar las defensas exteriores del cuerpo (digamos por una cortada o una llaga), pronto se topan con los glóbulos blancos. Algunas de estas células, llamadas **fagocitos**, atacan a los invasores envolviéndolos y digiriéndolos (en el proceso llamado fagocitosis). Otros glóbulos blancos especializados, los **mastocitos**, liberan una sustancia llamada histamina en el área infectada. Es esto lo que causa los síntomas de dolor, hinchazón y enrojecimiento alrededor de una herida. El color se debe al movimiento de más sangre hacia el área infectada. Los glóbulos blancos salen de los vasos sanguíneos y acuden al sitio de infección guiados por la presencia de histamina. Una vez ahí, ayudan a destruir a los microbios invasores.

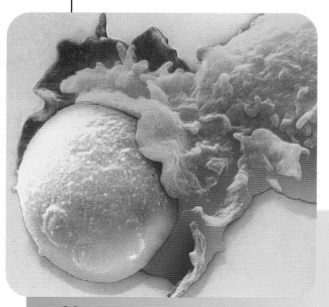

Respuestas específicas

Otra parte del sistema inmunológico entabla ataques específicos contra organismos específicos. Cuando un microbio entra en el cuerpo, el sistema inmunológico lo identifica como forastero e inicia una respuesta en su contra. Millones de glóbulos blancos especializados circulan por el cuerpo en busca de células y moléculas extrañas. La superficie

Los fagocitos son glóbulos blancos que envuelven y digieren a las células ajenas. En esta foto, un fagocito envuelve a una célula de levadura.
(Magnificación aprox. x 6500)

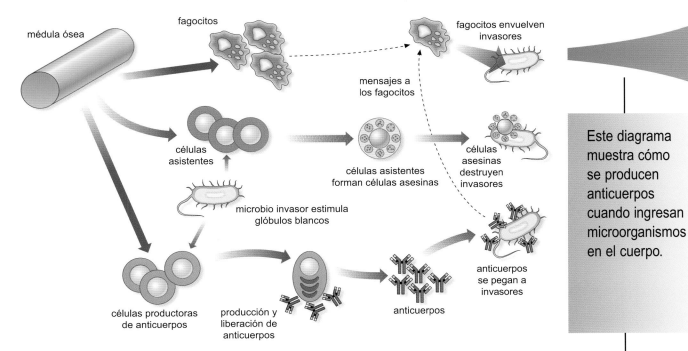

médula ósea

fagocitos

fagocitos envuelven invasores

mensajes a los fagocitos

células asistentes

células asistentes forman células asesinas

células asesinas destruyen invasores

microbio invasor estimula glóbulos blancos

anticuerpos se pegan a invasores

células productoras de anticuerpos

producción y liberación de anticuerpos

anticuerpos

Este diagrama muestra cómo se producen anticuerpos cuando ingresan microorganismos en el cuerpo.

de cada glóbulo transporta **proteínas** llamadas **anticuerpos**. Diferentes glóbulos llevan distintos anticuerpos, y cada anticuerpo reconoce una sustancia ajena llamada **antígeno**.

Cuando un glóbulo blanco se topa con un antígeno que reconoce, se divide rápidamente para producir muchas células idénticas que inyectan anticuerpos libres en el torrente sanguíneo. Los anticuerpos se pegan al invasor y envían señales químicas a los fagocitos, que entonces envuelven a los invasores y los digieren.

La primera vez que se encuentra con un nuevo invasor, el cuerpo necesita tiempo para producir anticuerpos. Pero si un invasor regresa, el cuerpo "recuerda" al microbio y organiza una defensa mucho más rápida y eficaz. A esto nos referimos cuando decimos que un animal adquirió **inmunidad** a cierto tipo de infección, y es por esto que algunas enfermedades, como el sarampión, sólo se padecen una vez en la vida.

Los anticuerpos son eficaces contra las bacterias y muchos otros microorganismos patógenos. En cambio, en el caso de los **virus**, que son los organismos patógenos más pequeños, los anticuerpos sólo funcionan en la sangre; no son eficaces contra los virus una vez que éstos han penetrado en las células del cuerpo. En tales casos, las llamadas células asistentes reconocen en la célula invadida cambios causados por los virus y activan células asesinas que se adhieren a las células invadidas y las destruyen.

Alergias

A veces, el sistema inmunológico se moviliza contra una sustancia inocua. Comúnmente, cada primavera y verano, se puede oír a algunas personas estornudar a causa de los granos de polen que sueltan las plantas. El sistema inmunológico de la víctima trata como antígenos a las proteínas de la superficie del polen y organiza una defensa que causa moqueo, irritación de ojos y muchos estornudos.

10. Reproducción

Una de las características de un ser vivo es que se reproduce. Cuando los animales lo hacen, siempre generan **descendencia** que tarde o temprano se parecerá a sus progenitores. Una vaca nunca daría a luz a una avestruz, ni un lagarto a un diente de león. La clave para que un animal se reproduzca generación tras generación está en el material genético del **núcleo** de cada célula animal.

El material genético es un conjunto de instrucciones que contiene toda la información necesaria para hacer un organismo completo. Esas instrucciones están contenidas en la estructura de una molécula llamada ácido desoxirribonucleico (ADN). Cada "instrucción" es una sección de ADN llamada gen, que es el patrón para construir una sola **proteína**. Puesto que las proteínas, en forma de **enzimas**, controlan todas las reacciones de una célula, también controlan el desarrollo de ésta.

Durante la reproducción, se pasa a la siguiente generación una copia de todos los genes del animal. En la forma más simple de reproducción, un solo organismo pasa una copia de su material genético a su descendencia, la cual es genéticamente idéntica a su progenitor. Este tipo de reproducción se llama **reproducción asexual** y es común en muchos de los animales más simples. Algunos animales más complejos se reproducen asexualmente en cierta etapa de su ciclo vital.

Las hidras son animales simples que se pueden reproducir sexual o asexualmente. En la reproducción asexual, una nueva hidra crece como botón del cuerpo del progenitor y luego se separa.
(Magnificación aprox. x 800)

Reproducción sexual

En la **reproducción sexual** intervienen dos organismos, y ambos aportan genes a su descendencia. En casi todos los animales hay dos sexos, masculino y femenino.

La reproducción sexual implica la unión de una célula sexual (**gameto**) de un animal macho con un gameto de una hembra de la misma especie. Los gametos contienen genes de los progenitores, pero cada uno sólo posee la mitad del número de **cromosomas** que tiene el progenitor. Para formar un organismo completo, los gametos deben combinarse. Esto se llama **fecundación**.

Los mamíferos hembra poseen un par de órganos reproductores llamados **ovarios** donde se producen los gametos femeninos (óvulos). El ovario contiene estructuras llamadas folículos, de las que surgen los óvulos. En el ser humano, lo normal es que madure un solo folículo a la vez y suelte un óvulo, pero otros mamíferos liberan varios óvulos. La musaraña elefante suelta más de cien óvulos a la vez.

Una vez liberados, los óvulos pasan por un tubo llamado **oviducto**, recubierto de células **epiteliales** provistas de muchos **cilios** que crean una corriente que lleva los óvulos hacia el **útero** donde, si han sido fecundados, se desarrollará el embrión.

Para que haya fecundación, el óvulo debe encontrarse con un gameto masculino (**espermatozoide**). Éstos se producen en un par de órganos llamados **testículos**, que forman parte del aparato reproductor masculino.

Fecundación

En los mamíferos, la fecundación se efectúa en el oviducto, dentro del cuerpo de la hembra. Para que esto suceda, el macho necesita introducir espermatozoides por una abertura que proporcione acceso a los óvulos (en el ser humano, la abertura se llama **vagina**).

De los varios cientos de millones de espermatozoides que entran en la hembra, sólo unos cuantos cientos llegarán hasta el oviducto, y sólo uno de ellos fecundará un óvulo dado. El núcleo del espermatozoide penetra en el óvulo y se funde con el núcleo del óvulo. Éste es el momento de la fecundación. En los mamíferos, el óvulo fecundado se divide para formar una esfera de células que viaja por el oviducto hasta el útero. Ahí, se implanta en el recubrimiento del útero, el cual crece a su alrededor.

Óvulos y espermatozoides son muy diferentes; los segundos semejan renacuajos microscópicos. La "cabeza" contiene los cromosomas y la "cola" impulsa al espermatozoide hacia el óvulo. Éste es mucho más grande y, además de un juego de cromosomas, cuenta con los organelos y nutrientes necesarios para iniciar la división celular una vez que es fecundado.

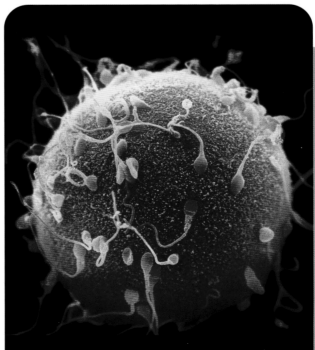

Fotografía al microscopio electrónico que muestra un óvulo humano rodeado por espermatozoides. (Magnificación aprox. x 1000)

Desarrollo

El desarrollo de un animal se inicia tan pronto como un óvulo es fecundado. La célula fecundada comienza a dividirse una y otra vez para formar un **embrión**. Al principio, el embrión consiste en una esfera de células idénticas, pero pronto las células empiezan a diferenciarse unas de otras.

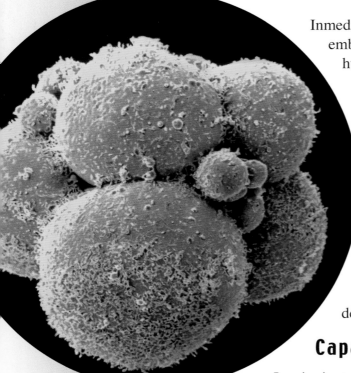

Inmediatamente después de la fecundación, el embrión es una sola célula: el óvulo fecundado o huevo. Entonces se divide en dos células, luego en cuatro, en ocho, etc. En esta etapa, el **citoplasma** del huevo simplemente se reparte entre un número creciente de células más pequeñas, cada una con su propio **núcleo**. No hay crecimiento celular y el embrión no cambia casi de tamaño. Esta etapa se llama escisión.

Con el tiempo, se forma una esfera hueca de células, llena de fluido. El vertiginoso ritmo de división celular aminora y el embrión pasa a la siguiente etapa de su desarrollo.

Microfotografía tomada desde un microscopio electrónico que muestra un embrión humano en sus primeros estadios de desarrollo.
(Magnificación aprox. x 900)

Capas germinales

La siguiente etapa se distingue por una importante reorganización: la esfera hueca forma dos o tres capas discretas, llamadas capas germinales. Las células que se desarrollen a partir de estas capas formarán todos los tejidos y órganos del organismo adulto.

Tras la formación de las capas germinales, la división celular continúa. Ahora, empero, las células producidas no son todas iguales. Cada parte del embrión produce células especializadas en la tarea que efectuarán en el animal desarrollado. Aquí inicia la formación de órganos.

Una vez formados los distintos órganos, en la última etapa del desarrollo crecen y asumen las funciones especializadas que desempeñarán durante toda la vida del organismo.

Alimentación y protección

El embrión en crecimiento está indefenso, por lo que debe protegerse. También requiere alimento, pues no puede obtenerlo por sí solo. Los animales han desarrollado diversos métodos para proteger y alimentar al embrión mientras crece.

En casi todos los mamíferos y algunos reptiles, el embrión crece dentro del cuerpo de la hembra después de la fecundación. En los mamíferos, el embrión crece en el **útero**.

Un grupo de mamíferos, el de los marsupiales (que incluye los canguros y koalas), da a luz a crías muy poco desarrolladas. Las crías continúan su desarrollo en una bolsa del cuerpo de la madre, donde se alimentan de leche. Las crías de otros mamíferos nacen muy desarrolladas. Mientras el embrión crece en el útero, recibe nutrientes de la sangre de la madre a través de un órgano especializado llamado **placenta**. Estos mamíferos se llaman placentarios. Los marsupiales carecen de placenta.

La placenta está unida íntimamente al forro del útero y se conecta con el embrión mediante un tubo llamado **cordón umbilical**. Los vasos sanguíneos de la placenta están muy cercanos a los del útero, de modo que nutrientes y oxígeno pueden pasar de la sangre de la madre a la del embrión. Del mismo modo, el bióxido de carbono y demás desechos pasan de la sangre del embrión a la de la madre. No hay contacto físico entre el sistema sanguíneo de la madre y el del embrión.

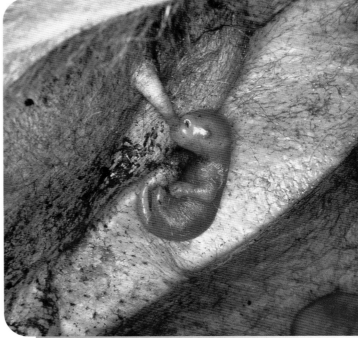

Canguro recién nacido dentro del marsupio materno.

Nacimiento

Una vez que el embrión se ha desarrollado, y ha crecido lo suficiente como para sobrevivir fuera del útero, la madre da a luz a sus crías, cuyo número varía según la especie. El cerdo doméstico llega a producir camadas de hasta 16 lechones, mientras que en el elefante y el ser humano la tendencia es sólo una cría a la vez. La duración del embarazo también varía. Después de 21 días, una rata pare crías pequeñas y sin pelo, con los ojos cerrados y orejas que obviamente no se han desarrollado cabalmente. Los cobayos dan a luz después de 68 días a crías bien desarrolladas que parecen adultos en miniatura. El nacimiento es el primer paso hacia una vida independiente para el nuevo animal multicelular. La siguiente generación ha llegado.

El reino animal: un resumen

Los animales son **eucariotas** multicelulares que obtienen su energía de sustancias orgánicas producidas por otros organismos. Se desarrollan a partir de la fusión de dos **gametos**, uno de cada progenitor, aunque muchos también pueden reproducirse **asexualmente**. Hay muy diversas clases de animales, las que se pueden agrupar, a grandes rasgos, en los que tienen espina dorsal (**vertebrados**) y los que no (**invertebrados**). En la tabla siguiente se dan ejemplos:

Clasificación		Características	Ejemplos
Invertebrados (animales sin espina dorsal)	Celentéreos	animales acuáticos, casi todos marinos; cuerpos simples con tentáculos y células urticantes; viven solos o en colonias, adheridos a rocas y otras superficies, o flotan libres	medusas, anémonas de mar, corales
	Platelmintos	casi todos son parásitos de otros animales, pero algunos viven en agua dulce; suelen tener un cuerpo largo y plano	planarias, solitarias, duelas de la sangre
	Nemátodos	casi todos son parásitos de plantas o animales, algunos viven en el suelo; su cuerpo es largo y cilíndrico	lombrices intestinales
	Anélidos	casi todos viven en el agua, algunos viven en el suelo; gusanos con cuerpo largo y segmentado	lombrices de tierra, sanguijuelas, nereidas
	Moluscos	casi todos son acuáticos, aunque algunos viven en la costa o en tierra; cuerpo blando no segmentado, a veces protegido por una concha	babosas, caracoles, calamares, ostiones
	Equinodermos	animales marinos, a menudo con piel dura y espinosa; su esquema corporal es pentagonal	estrellas de mar
	Artrópodos	animales con cuerpo segmentado y patas articuladas, protegidos con un exoesqueleto duro	
	Crustáceos	principalmente acuáticos; una cubierta dura protege el frente del cuerpo; dos pares de antenas, al menos cuatro pares de extremidades y uno o más pares de apéndices para alimentarse	camarones, cangrejos, cochinillas y bálanos
	Miriápodos	animales terrestres con muchas patas en un cuerpo largo y segmentado, un par de antenas	milpiés, ciempiés
	Arácnidos	animales terrestres de ocho patas, sin antenas	escorpiones, arañas, garrapatas y mitas
	Insectos	animales terrestres con seis patas, un par de antenas y a menudo dos pares de alas; cuerpo dividido en tres partes: cabeza, tórax y abdomen	avispas, mariposas, cucarachas, libélulas, escarabajos, hormigas, moscas
Vertebrados (animales con espina dorsal)	Peces	animales acuáticos de sangre fría; respiran con branquias; cuerpo generalmente muscular, cubierto de escamas y con aletas para nadar; esqueleto de hueso o cartílago; casi todos se reproducen poniendo huevos en el agua	tiburones, pez perro (esqueleto cartilaginoso); salmones, bacalao, caballitos de mar, truchas (esqueleto óseo)
	Anfibios	animales de sangre fría, dos etapas en su ciclo de vida: larvas que viven en agua, branquias. Adultos: viven en tierra, pulmones, nadan; piel húmeda, sin escamas. Ovipositan en agua	ranas, tritones
	Reptiles	animales de sangre fría generalmente terrestres, respiran con pulmones; piel seca e impermeable cubierta de escamas; casi todos tienen cuatro patas aunque algunos (las serpientes) no tienen; los huevos de cascarón blando se ponen en tierra	cocodrilos, lagartos, tortugas, serpientes
	Aves	animales terrestres de sangre caliente y respiración pulmonar; tienen alas y casi todos vuelan; piel cubierta de plumas; todos tienen pico; los huevos de cascarón duro se ponen en nidos	gorrión, avestruz, águila, perico
	Mamíferos	animales de sangre caliente y respiración pulmonar; ocupan diversos hábitats terrestres y acuáticos; algunos (murciélagos) pueden volar; todos tienen al menos algunos pelos; las crías suelen desarrollarse dentro del cuerpo de la madre y nacer vivos; se alimentan de leche producida por la madre	ponen huevos: ornitorrinco, equidna; ejemplos de marsupiales (con bolsa donde se desarrolla la cría): canguros y zarigüeyas; ejemplos de placentarios (crías que nacen ya desarrolladas): gatos, elefantes, osos y el ser humano

Glosario

ácido láctico: producto de desecho de una forma de respiración anaerobia.

alveolo: microscópica bolsa de aire de paredes delgadas en el pulmón, donde el oxígeno se difunde del pulmón a la sangre y el bióxido de carbono se difunde de la sangre al pulmón.

aminoácidos: sustancias naturales que las células usan para hacer proteínas.

anticuerpo: proteína defensiva producida por glóbulos blancos como respuesta a la presencia de organismos ajenos (antígenos) como virus y bacterias. Cada anticuerpo reacciona ante un tipo de antígeno y se combina con él para neutralizarlo o destruirlo.

antígeno: cualquier molécula que el sistema inmunológico reconoce como ajena y que suscita la producción de anticuerpos; ejemplos típicos son las proteínas en la superficie de bacterias y virus.

aparato de Golgi: estructura interna de la célula que empaca proteínas y otras sustancias fabricadas dentro de la célula, para exportarlas.

axón: extensión del cuerpo celular de una neurona, especializada en la transmisión de impulsos nerviosos.

bacteria: organismo unicelular microscópico que carece de núcleo.

branquias: órganos de respiración de peces y otros animales acuáticos.

bronquiolos: tubos delgados de los pulmones de reptiles, aves y mamíferos.

bulbo raquídeo: región en la que el tope de la médula espinal se une a la base del encéfalo; regula aspectos como el ritmo cardiaco, la respiración y la presión arterial.

cápsula de Bowman: parte cóncava de una nefrona que recibe agua y sustancias disueltas filtradas de la sangre en los riñones.

carbohidrato: sustancia compuesta de carbono, hidrógeno y oxígeno que el cuerpo usa como fuente de energía; la glucosa es el carbohidrato más simple.

cerebelo: parte del encéfalo donde están los centros reflejos; determina la postura y los movimientos de las extremidades.

cerebro: parte del encéfalo que procesa casi toda la información en los mamíferos.

cilios: estructuras que semejan pelos y se proyectan en gran número en la superficie de muchas células.

citoplasma: la parte de la célula que está entre el núcleo y la membrana celular.

cordón umbilical: conexión entre la placenta y el embrión en desarrollo.

cromosomas: moléculas de ADN enroscadas en moléculas de proteína llamadas histonas. Presentes en el núcleo de las células eucariotas. Durante la división celular se ven como una especie de bastoncillos.

dendrita: extensión fina de una célula nerviosa que recibe impulsos de otras células nerviosas.

descendencia: crías de un animal.

embrión: etapa temprana del desarrollo de una planta o animal; se forma por división celular después de la fecundación del óvulo.

endoesqueleto: esqueleto interno de huesos o cartílagos.

enzimas: catalizadores biológicos que aceleran las reacciones en las células; todas las enzimas son proteínas.

epitelial: tejido de células apretadas que forma una superficie exterior o recubre una cavidad o tubo.

esófago: tubo muscular por el que el alimento viaja de la boca al estómago.

espermatozoide: célula sexual masculina.

esqueleto hidrostático: sistema de soporte en el que los músculos redistribuyen los fluidos del cuerpo.

eucariotas: células que contienen un núcleo y otros organelos; todas las células con excepción de las bacterias son eucariotas.

excreción: eliminación de desechos de las células.

exoesqueleto: cubierta externa, dura y rígida, del cuerpo de algunos animales, como los insectos.

extensor: músculo que endereza una extremidad.

fagocito: tipo de glóbulo blanco que envuelve y consume a otras células.

fecundación: fusión de dos células sexuales (gametos).

flexor: músculo que dobla una extremidad.

gameto: célula sexual, como los espermatozoides y óvulos.

glándula endocrina: glándula que produce hormonas que se vierten en el torrente sanguíneo.

glomérulo: cúmulo de capilares en el riñón, donde se filtran de la sangre agua y sustancias disueltas.

glucosa: el carbohidrato más simple; las plantas lo producen durante la fotosíntesis y todas las células lo usan como fuente de energía en la respiración.

homeostasis: mantenimiento del entorno interno de un organismo en niveles óptimos para efectuar las actividades celulares.

hormona: sustancia producida por glándulas endocrinas cuya función es regular varias funciones del cuerpo, como el nivel de azúcar en la sangre.

inmune: que no es susceptible a infección.

invertebrados: animales sin espina dorsal.

lípido: sustancia grasosa o aceitosa; las grasas son lípidos.

mastocito: célula que produce histamina como parte de la respuesta del sistema inmunológico ante una infección.

médula: sustancia grasa blanda presente en cavidades de los huesos.

membrana: capa de proteínas y grasa que envuelve a una célula.

metabolismo: la totalidad de las reacciones químicas en una célula.

mielina: material a base de grasas y proteínas que aísla las células nerviosas.

minerales: sustancias simples que los seres vivos requieren para mantener su salud.

mitocondrias: estructuras internas de la célula donde se efectúa la respiración aerobia; producen la energía de la célula.

moco: sustancia babosa que protege y lubrica las membranas mucosas.

nefrona: uno de los tubillos del riñón donde se forma la orina.

neurona (motora, sensorial): célula nerviosa encargada de transmitir impulsos por todo el cuerpo.

núcleo: organelo grande, que generalmente se ubica en el centro de la célula, donde se guarda el material genético.

nutrientes: sustancias que los seres vivos necesitan para vivir, crecer y mantener su salud.

organelos: estructuras dentro de las células eucariotas, como las mitocondrias, los lisosomas y los aparatos de Golgi, cada uno de los cuales efectúa tareas específicas.

ósmosis: movimiento de agua de una solución diluida a una más concentrada, a través de una membrana parcialmente permeable.

ovario: órgano donde se producen los óvulos en los animales hembra.

oviducto: tubo por el que los óvulos pasan del ovario al útero.

placenta: órgano que forma el embrión de ciertos mamíferos, que se adhiere a la pared interior del útero y permite el intercambio de nutrientes, oxígeno y desechos entre la sangre de la madre y la de las crías.

plasma: parte líquida de la sangre. Está formado principalmente por agua y sales en solución.

procariotas: células que no tienen su material genético en un núcleo; todas las bacterias son procariotas.

proteínas: grupo de moléculas orgánicas complejas que realizan diversas tareas fundamentales en las células, como proveer estructura y actuar como catalizadores (enzimas) de reacciones químicas.

protistas: grupo de organismos unicelulares microscópicos.

receptor: parte de una célula que recibe información externa, digamos de una neurona o mediante una hormona.

reproducción asexual: cualquiera de varios métodos de reproducción en los que la descendencia proviene de un solo progenitor, al cual es idéntica.

reproducción sexual: la que implica la unión de células sexuales, como óvulos y espermatozoides.

respiración: proceso por el que todos los organismos obtienen energía del alimento, descomponiendo azúcares en sustancias más simples. La respiración anaerobia no necesita oxígeno; la aerobia es un proceso mucho más eficiente que sí requiere oxígeno.

sinapsis: contacto entre células nerviosas.

tendón: tejido conectivo que une músculos a huesos.

testículos: órganos de los animales machos donde se producen los espermatozoides.

tráquea: tubo que conduce aire a los pulmones.

tubillo: tubo delgado presente en los riñones de los animales.

útero: órgano de los mamíferos hembra donde se desarrolla el embrión.

vagina: parte del aparato reproductor de los mamíferos hembra, que recibe los espermatozoides del macho.

vertebrados: animales con espina dorsal.

virus: agente inanimado compuesto por ADN o ARN y una cubierta de proteínas que puede infectar una célula y usar su maquinaria metabólica para producir copias de sí mismo.

vitamina: una de varias sustancias que los organismos requieren en pequeñas cantidades en su dieta para el adecuado funcionamiento de su metabolismo.

Lecturas adicionales y sitios Web

Libros

Curiosidades del mundo animal, Rafael Escandón, Editorial Lectorum, 1998.

Los cinco sentidos en el mundo animal, Llamas Andreu, Editorial Lema, 1996.

Para responder a las preguntas de los niños: los animales, Emilie Beaumont, Editorial Panini, 1992.

Pero dónde está Ornicar: introducción a los misterios de la clasificación de los seres vivos. Gerald Stehr, Editorial Tecolote.

Un planeta vivo, Doncel Reyes García, Mad ediciones, 1994.

Muchas revistas, como *Correo del Maestro, ¿Cómo ves?, Ciencia y docencia, Ciencia y desarrollo,* publican artículos acerca de la ciencia, accesibles para quienes no son científicos.

Sitios web

Animales mexicanos
(http://www.elbalero.gob.mx/voceador/voceador30/html/cct.html)
   Para que conozcas los animales de nuestro país.

Biodiversidad en México
(http://www.elbalero.gob.mx/bio/html/especies/ultimafr.html)
   Varios conceptos importantes, como biodiversidad, conservación, ecositemas, especie, genética, etc., y los principales animales y plantas de México.

Correo del Maestro (http://www.correodelmaestro.com)
   En muchos números de la revista encontrarás artículos sobre célula y vida.

El sistema nervioso central
(http://omega.ilce.edu.mx:3000/sites/ciencia/volumen3/ciencia3/130/htm/sec_5.htm)
   Aquí puedes aprender mucho sobre el sistema nervioso.

La ciencia en tu escuela (http://www.amc.edu.mx/lacienciaentuescuela.htm)
   En los apuntes del diplomado encontrarás información de célula y vida.

Museo Universum de la UNAM (http://www.universum.unam.mx)
   En este sitio puedes recorrer la sala de biología del museo.

Índice